KU-191-028

A SCOTS GARLAND

London
Alexander MacLehose & Co.
Simpkin Marshall Ltd.

Printed in Great Britain
by Turnbull & Spears, Edinburgh

Grant & Murray
126 Princes Street, Edinburgh.
1931

INTRODUCTION

It would be the idlest form of patriotic self-glorification to claim that Scots has the status of a metropolitan tongue. That status it has had in the past and, perhaps, may have again in the future, and it is not the poorest justification for indulging in anthology-making (which some may regard as a work of supererogation) that in so doing one is brought to realize most vividly the historical fact of the declension of our language from its ancient greatness. In the fifteenth and sixteenth centuries, at least, Scots was both a national and a literary language. In Henryson and Dunbar it had poets who, on any standard, must be ranked high. Henryson, no doubt, owed something to Chaucer, but he added much to what he borrowed and, if he had not the English master's genius for narrative, he had a gift of psychological insight that, in my judgment, is unmatched before Shakespeare. Dunbar's superb powers of invective, rhetoric and description are, for us, obscured by the heavy enamel of the latinisms of which he was fond, but, all deduction made, these two poets mark the highest development of Scots as the language of literature.

It might be argued that Dunbar's neologisms reveal an essential weakness in Scots as a literary medium, an insufficiency of vocabulary to express with precision all the moods and varying thoughts of man. But it is to be remembered that even in the England of the sixteenth century poets and prose-writers were addicted, to what seems to us an extraordinary degree, to experimentation both in form and in vocabulary.

England survived the experimental period of the Euphuists and the metre-mongers with an enriched vocabulary and a better technique. Scotland did not, because the forces of secular change, the printing-press, the Reformation and the political re-alignments it brought about, were working against her. The Union of the Crowns marked the inevitable end. Had Scotland been the senior partner in wealth and population, Scottish Literature would almost certainly have occupied the place the world now gives to English Literature.

It is, therefore, a sound instinct that impels the enthusiasts of those who are working for a Scottish Renaissance to blazon the great name of William Dunbar on their banner. They are doubly wise. They do well to remind their public, their extremely apathetic public, of the former glories of the Scottish tongue. They do better by thus insisting on the need for enrichment of vocabulary and abundant experimentings in form, to the end that Scottish Literature may be redeemed from the curses of pettiness of conception, poverty of content, and triviality of execution that have condemned it to its present deplorable condition.

As a speech-medium the Scottish tongue is still vital, but it has lost at both ends of the scale — many words and idioms have become obsolete or obsolescent, and no new coins of the same mintage are now struck. It is not impossible to render the former cause of loss inoperative. As Hugh MacDiarmid has shown, old words and idioms can be used in modern verse. Even if he is not always successful in his bold essays, he has done enough to show that the effort is worth making.

Obviously, if it is to be truly successful on the national scale, our schools must make a far more liberal use of Scottish Literature in their courses and so give successive generations of Scottish youth a better knowledge of their literary heritage than is at present allowed them.

The remarkable revival of Scots as a medium for ballads and lyrics that culminated in Burns and has since slowly spent itself in Scott, Hogg, George MacDonald and R.L.S. had both a good and a bad side. It was good to show the world that Scots was still, albeit with a mixture of English elements, capable of use in literature. It was bad in that it seemed to exhaust all its powers. How far this was due to inescapable necessity, how far to the smallness of stature of the users of Scots, is a question to which no definite answer can probably be given. But, by and large, Burns's success chained Scots to the parish pump. Since his time, with but few exceptions, the use of Scots in literature has been the provision of local colour, the presentation of the characters of the Kailyaird. The exceptions are significant, indeed. Galt's delineation of Scotland in the process of change through industrialisation has never quite earned the meed of praise it deserves.

Perhaps future historians of literature may point to George MacDonald's treatment of religion in his poems as the most hopeful and healthy sign in Scots verse-literature of the nineteenth century. He may, after duly pointing out that Robert Louis Stevenson thought more highly of his prose than of his verse, remark that his exercises in Scots sounded a new note—a gently mocking, whimsical, urbane note — in Scots verse. And it may be that these two so different men—yet both so unassailably Scottish—marked the beginnings of better days for their mother-tongue.

But with these and a few other exceptions, how sorry is the aspect of Scots verse in the nineteenth century! Versifier after versifier sings the same old song in the same old way. If they were as wise as Browning's thrush they would content themselves with three renderings, but they go on *ad infinitum*, telling their bored listeners of the wee hoose in the wee glen, the love-affairs of the village flirt, the local drouth, the blate wooer, the collie-dog and the warlike thistle. They keep on giving us Cauld Kail Het Again, again and again and yet again. It is all pleasant enough for a Vernacular Circle Supper or a Burns Club Dinner or a Church Literary Society, but it is exasperating to Scots who have grown up and who realise that their native land is no longer Arcadia, if it ever was. A living literature has always a living relation to actual life. Why do not our poets write of the life they share with the rest of us? Why do they not sing songs about the men and women who are doing the work of Scotland? Cannot good songs and novels be written about the trawlers of Aberdeen, those aggressively masculine men, as primitive as any rider of the West or lumber-jack of the Canadian forests? Is there any more really romantic figure than the lass of the Western Isles who follows the herring-fleet round British shores from Barra to Lowestoft and sings Gaelic songs as her knife flashes at the gutting-trough? Are not Lanarkshire's steel-towns and Ayrshire's mining-rows worth rendering in prose and verse? Has the Gallowgate of Glasgow no significance for the rest of the world? Is the question of the origin and development of the Maxton Group in politics devoid of literary value? Would not a full-length treatment of Glasgow be a valuable addition to literature as well as to knowledge?

It is easy to understand and to sympathise with those critics who, sickened by the sloppy sentiment of Burns-Supper orations, emphasise their natural and proper revulsion by speaking disrespectfully of Burns and, incidentally, contending that he summed up a period instead of inaugurating a new Era. That is true enough, but if his successors had had as much robust good sense as he had, it would not have been true. Surely the truth is that for Burns the parish-pump was merely a convenient central point from which to survey the whole wide world of his experience. He exhausted the possibilities of his knowledge of Life. Had his followers surveyed their world, instead of his, the viewpoint would have been perfectly suitable, for any one point on the world's surface is, or can be, central. Why the poetasters should have tried—and should keep on trying—to do over again what Burns had done once and for all, is no compliment either to their intelligence or to the virtues of their medium.

It is a pity that the most famous of our men of letters, one of the greatest and kindliest of our race, Sir Walter Scott, should have won for the Romantic School a victory so complete and overwhelming. That victory, of course, could not have been won without the co-operation of Scott's public. It marked the substitution of recreation for creativeness as the main purpose of our literature. This is what Carlyle meant by saying that had a man nothing whatever to do in the world but lie on a sofa and amuse himself, the Waverley Novels would be ideal companions of his leisure. But to those who would write in Scots on Scottish themes the example of John Galt is greatly to be preferred. It might even be claimed that Sir Walter's authority itself might be appealed to, for it is not, I think, a perverted taste that makes some of us prefer the Sir Walter who gave us Triptolemus Yellowley—and incidentally a picture of the agricultural revolution of the eighteenth century—to the Sir Walter who described the Vehmgericht, the Varangian Guard, and even the Tournament of Ashby-de-la-Zouche. It may be said that the examples are chosen to fit the theory. No doubt; but at any rate the realistic quality in Sir Walter might have saved us—and may still save us—from the sloppiness in which we find ourselves bogged.

The present insignificance of Scottish literature in

the main betrays a definite state of unhealthiness in the nation. Our notorious clannishness is but another symptom of cultural anæmia. Nothing in the world is easier than to gain a local, even a national, *succès d'estime*, as poet in Scotland. Every county has its genius. There are few parishes that cannot boast of a bard. That high title, by the way, has an even more strictly localised meaning in the North-East, where the humble ploughman who sings, uncouthly, but often forcefully, of the joys and sorrows of the "bothy" and the "chaumer" is so styled. There is an extremely wide extension of the versifying faculty in Scotland. Had there been a correspondingly wide development of the ability to apply reasonable critical standards to the verse-product, we should have been spared many blushes and have ranked higher in the world of letters. It is not for nothing that the greatest experts in "log-rolling" in our time have been Scotsmen, brought up in the faith that we're a' John Tamson's bairns.

Scots has fallen to be the language of greasy domesticity and spineless sentimentalism. Is it John Buchan who somewhere refers to the tendency of Scottish versifiers to be "appallingly at ease in Zion"? The criticism is overwhelmingly truthful. Our versifiers, lay and clerical, handle the beauty and the wonder of this world and the awe and mystery of the hereafter with dirty and unmannerly paws. They sing of infancy to the strains of "Cuddle in a bosie"; they moralise in the childish philosophy of "Ilka blade o' grass keps its ain drap o' dew"; they eulogise the "Ain wee hoose" school of architecture; their patriotism is the naive jingoism of "Scotland Yet"; their love of home can find few better expressions than "They're faur across the Sea." But why particularise? They have done their best to reduce Scotland to the mental stature of a moron.

Some, like Professor Gregory Smith, have it that Scots, as a literary language, has fulfilled its historic function and that its part in the future will be the comparatively small, if still worthy, one of delicately colouring Standard English with northern tints. It is true that English is already indebted to Scots for such lovely words as "eerie," "gloaming," "croon," "glamour," "wraith." The late Dr Neil Munro's style is an excellent illustration of Professor Gregory Smith's theory. For the student of style it is time well spent to study his interweaving of English with Scots words and Gaelic idiom.

Even if Scots be restricted to the comparatively humble role of adding spice to a stodgy English pudding, that is something. And it may well become more, if our writers use it more artistically, more wisely, with a wide vision of the world to inspire them and with a definite contribution to make to the world's store of knowledge, power and beauty. The capacity of English for absorption of the resources of other languages is not the least potent of the reasons of its great power of growth and its almost infinite flexibility. It has swallowed, like Scots, much French, and more Latin. It has nothing to fear—indeed, everything to hope—from a revivified and reinforced Scots. There is no question here of a Scottish literary Sinn Fein, which, besides being politically fantastic, would be high treason to our own tongue, which is but a variety of English, albeit it is closer to the parent stem than the speech of London or of Oxford. Can we, by taking thought, ensure that future generations will not only continue to read Scots, but will have the desire to go on creating Scots Literature? I do not think we need be pessimistic.

With regard to the first problem, that of perpetuating the study of Scots Literature, why should there be any doubt? Nobody denies that we have a Literature worthy of study, not indeed only by Scots, but especially by them. There was a time when Scots outshone the glories of its younger sister, which now we call English. Then Scots had all the marks of a metropolitan tongue. It borrowed freely—and assimilated much. It was the vehicle of a brilliant literature. It was the language of Parliaments and of Law Courts, the tongue spoken by Kings and people. It is significant that our Scottish Universities were founded during the period when our language and our literature flourished most luxuriantly. It is no idle theory that sees in their creation one proof the more of the vigour of Scottish national life in the fifteenth and sixteenth centuries. And we may remember, with encouragement as well as pride, that so long as our Scottish Universities were true to their own august and ancient traditions, which owed far more to France than to England, they more than held their own against Oxford and Cambridge.

It is, unfortunately, only too possible to exaggerate the importance of the part to be played by School and University in the reintegration of this cultural element in Education. Unless public opinion is on the side of those who would fain restore the pristine splendour of Scots, all attempts at preventing decay are bound to fail. Nevertheless, it would be absurd to admit defeat ere the battle was joined.

Public opinion may not be red-hot with zeal for Scots, but it is certainly not markedly hostile. Anything and everything that will serve to rouse interest and maintain it should be done. It is precisely in such circumstances as we to-day find ourselves that School and University should endeavour to make those in their care free of the heritage of their national past. It is doubtful if they even do as much as they are now able to do. A much more liberal use of Scottish verse and prose in Schools, even in Primary Schools, is easily possible, and there does not appear to be any reason why Henryson and Dunbar should not be studied in the later years of a Secondary Course—even to the exclusion of Chaucer. Most teachers of English give some time to the study of Scots poetry. If the Education Department, which is now encouraging divergence from routine, would modify the Leaving Certificate papers in English, I believe those teachers would be encouraged to give more time to the study of our national literature and thereby extend the scope of their pupils' knowledge, and with good fortune, their interest in the subject. Perhaps if the Department were to set a History question on a passage from John Knox's "History of the Reformation," the study both of Scottish prose and of Scottish history would benefit.

This little Anthology, it is hoped, will serve as an introduction to the study of Scots poetry. It has been made as representative of the range of the subject as is possible in the limited space at the compiler's disposal. He has had to leave out many poems he would have liked to include—and, it is only fair to say, he has included several that he would have preferred to exclude, were it not that thereby the *representative* quality would have suffered loss. Some of the selections are, frankly, experimental, for experiments of all kinds are essential if full working vigour is to be restored to the language.

Nationality is not a matter of mannerisms, of superficial characteristics, of kilts and haggises, of shepherd tartan and thistles, of the Shorter Catechism and an Aberdeen accent. These things are interesting, in so far as they reveal to the world at large the peculiar qualities of our race, but they only do so in a slight degree. Fundamentally, literature is the revelation of a people's soul. It is because that is so that many of us wish fervently to keep alive and vigorous the long tradition of Scots letters. Scotland for many centuries had all the attributes of nationality—the qualities of independence of mind, national self-respect, manly consciousness of worth, at once individual and cosmopolitan. These are embodied in her history and her literature. Are they to be regarded not as living sources of national inspiration but as shrines of a former glory now dead?

T. H.

ACKNOWLEDGMENTS

The Editor of this Anthology desires to render his sincere thanks to the following Authors and Publishers who have allowed him to use copyright poems:

Miss Marion Angus, Mr John Buchan, Mr Andrew Dodds, Professor Alexander Gray, Mr Hugh Macdiarmid, Mr Calum MacFarlane, and Dr Neil Munro; Messrs Chatto & Windus, Messrs A. Constable & Co., Messrs Alex. Gardner, Messrs Gowans & Gray, and Mr John Murray. Also to Messrs Douglas & Foulis for "A Lammermuir Lilt," from "Songs and Verses" by Lady John Scott, edited by Margaret Warrender; to the Executors of George Macdonald, J. Logie Robertson, and "J. B. Selkirk," for permission to use poems by these authors. He would also offer his warm thanks and appreciation to Mr John Cameron for the etched frontispiece and title page.

CONTENTS

MODERN

ANTRIN RHYMES

JACOBITE

FOR CHILDREN

ROBERT BURNS

SOME MINOR POETS

BALLADS

EARLY POETRY

LIST OF AUTHORS

TO THE READER

Blest, beautyful, benyng, and best begot,
To this Indyte please to inclyne thine Eir.

ALEX. SCOTT

We pray to all the Saints in Heaven
That ar abune the Starns seven,
You to bring out of your Penance,
That ye may sune sing, play, and daunce.

WILLIAM DUNBAR

I will nae priests for me sall sing,
Nor yet nae bells for me to ring,
But ae Bag-pipe to play a spring.

WALTER KENNEDY

MODERN

AT THE SIGN OF THE THISTLE

THE greatest poets
Never wrote a word.
Their sang is a' where
Like a buneheid bird;
And but for it
Nane could be writ.

The greatest thinkers
Passed on nae thocht.
Alane, unkent,
Like Titans they focht.
Withoot their strife
There 'ud be nae life.

Tho' to the feck
A' sang is vain,
And they've nae thocht
That's worth the ha'ein',
By sang and thocht
A' Fate is wrocht.

Easy pluck roses
To sing o' or think,
E'en tho' they grow
On Hell's black brink,
But wha'll risk hissel'
There for a thistle?

Easy to heed
  Nocht for the mob
And trauchle on
  Wi' a pickthank job
    When ye ken what it is
    —But the like o' this

It disna seem worth't,
  Yet 'yont kennin' I ken
That the best I can dae
  For mysel' and a' men
    Is to tyauve wi' the thistle
    Till Gabriel's whistle.

Unthinkable Thocht,
  Unsingable Sang,
To thee for aye
  My hert sall belang,
    Type o' His Poo'ers
    Wha's ways are no' oors!

HUGH M'DIARMID

GEORGE GORDON, LORD BYRON

Aberdeen, 1924

THIS ae nicht, this ae nicht
By the saut sea faem,
The auld grey wife
O' the auld grey toon,
She's biddin' her bairns hame
Fae the far roads
An' the lang roads
An' the land that's ayont them a',
She's cryin' them hame
Til her ain toon
Atween the rivers twa.

"This ae nicht, this ae nicht
Fan the win' dra's fae the sea,
Thir's a laddie's step
On the cobbled steens—
Fatna laddie can it be?
Is't him that sang
Wi' the stars o' morn,
An' brak his he'rt
On a bleedin' thorn
An' thocht nae mair o' me?

"This ae nicht, this ae nicht
The mirk an' the dawn atween,
Yon bairn he weers the Gordon plaid
An' his een's the eagle's een.
He sings as he gangs
By the Collidge Croon,[1]
He fustles it ower the faem,
A queer auld rune
Til a gey auld tune,
I'm thinkin' my bairn's won hame."

For it's:

"*Brig o' Balgownie,*
Black's yer wa',
Wi' a mither's ae son
An' a mare's ae foal
Doon ye sall fa'."[2]

MARION ANGUS

WEE JOCK TODD

THE King cam' drivin' through the toon,
Slae and stately through the toon;
He bo'ed tae left, he bo'ed tae richt,
An' we bo'ed back, as weel we micht;

[1] The Crown-Spire of King's College.
[2] Byron knew this rhyme when a child.

But wee Jock Todd he couldna bide,
He was daft tae be doon at the waterside;
Sae he up an' waved his fishin' rod—
Och, wee Jock Todd!

But in the quaiet hoor o' dreams,
The lang street streekit wi' pale moonbeams,
Wee Jock Todd cam' ridin' doon,
Slae an' solemn through the toon.
He bo'ed tae left, he bo'ed tae richt
(It maun ha'e been a bonnie sicht),
An' the King cam' runnin'—he couldna bide—
He was mad tae be doon at the waterside;
Sae he up wi' his rod and gaed a nod
Tae wee Jock Todd.

MARION ANGUS

TREASURE-TROVE

Do you mind rinnin' barefit
In the saft, summer mist,
Liltin' and linkin' on the steep hill-heids?
In below your tartan shawl, your hand wad aye twist
Your bonnie green beads.

Do you mind traivellin', traivellin'
Ower and ower the braes,
Reistlin' the heather, and keekin' 'naith the weeds,
Seekin' and greetin' in the cauld weet days
For yer tint green beads?

Whist! Dinna rouse him,
The auld sleepin' man—
Steek the door; the mune-licht's on the lone hill-heids.

Wee elfin craturs is delvin' in the san',
They canna miss the glimmer
O' yer auld green beads.

Here they come, the wee folk,
Speedin' fast and fleet—
There's a queer, low lauchin' on the grey hill-heids—
An' the bricht drops, glancin', followin' at their feet—
It's green, green beads—
The last ye'll ever see o' yer bonnie green beads.

MARION ANGUS

THE FIDDLER

A FINE player was he . . .
'Twas the heather at my knee,
The Lang Hill o' Fare
An' a reid rose-tree,
A bonnie dryin' green,
Wind fae aff the braes
Liftin' and shiftin'
The clear-bleached claes.

Syne he played again . . .
'Twas dreep, dreep o' rain,
A bairn at the breist
An' a warm hearth-stane,
Fire o' the peat,
Scones o' barley meal,
An' the whirr, whirr, whirr,
O' a spinnin'-wheel.

Bit aye, wae's me !
The hindmaist tune he made . . .
'Twas juist a dune wife
Greetin' in her plaid,

Winds o' a' the years,
Naked wa's atween,
And heather creep, creepin'
Ower the bonnie dryin' green.

MARION ANGUS

THE COO PARK

I'M echty-five: and frae I was a bairn
I never mind the coo park 'neth the ploo;
And, when I saw the cou'ter tearin' 't thro',
Deep in my very hairt I felt the airn.
Gin the auld maister in his grave could lairn
O' this, he wad be mad. It never grew
But tails tae cattle beasts. And here it's noo—
They want a crap o' tatties oot the shairn.

Ay, weel-a-wat, I've lived ayont my lease:
Auld days, auld ways, auld things are at an end.
The war has finished a'; and ne'er will peace
Bring back tae me the auld warld that I kenned.
Ay, when that airman landed on the coo,
I jist said tae mysel', *We've come till't noo.*

ANDREW DODDS

TAM I' THE KIRK

OH, Jean, my Jean, when the bell ca's the congregation
Owre valley an' hill wi' the ding frae its iron mou',
When a'body's thochts is set on his ain salvation,
Mine's set on you.

There's a reid rose lies on the Buik o' the Word afore ye
That was growin' braw on its bush at the keek o' day,
But the lad that pu'd yon flower i' the mornin's glory—
He canna pray.

He canna pray; but there's nane i' the kirk will heed him
Whaur he sits sae still his lane at the side o' the wa',
For nane but the reid rose kens what my lassie gied him—
It an' us twa!

He canna sing for the sang that his ain he'rt raises,
He canna see for the mist that's afore his een,
And a voice drouns the hale o' the psalms an' the paraphrases,
Cryin' "Jean, Jean, Jean!"

VIOLET JACOB

THE ROWAN

WHEN the days were still as deith,
An' I couldna see the kye,
Tho' I'd mebbe hear their breith
I' the mist oot-by;
When I'd mind the lang grey een
O' the warlock by the hill,
An' sit fleggit, like a wean,
Gin a whaup cried shrill;
Tho' the her't wad dee in me
At a fitstep on the floor,
There was aye the rowan tree
Wi' its airm across the door.

But that is far, far past,
An' a'thing's just the same,
But there's whisp'rin' up the blast
O' a dreid I maunna name;
An' the shilpit sun is thin
As an auld man deein' slow,

An' a shade comes creepin' in
  When the fire is fa'in' low;
Then I feel the lang een set
  Like a doom upon my heid,
For the warlock's livin' yet—
  An' the rowan's deid.

VIOLET JACOB

SPRING IN THE HOWE O' ALFORD

THERE's burstin' buds on the larick now,
  A' the birds are paired an' biggin';
Saft soughin' win's dry the dubby howe,
  An' the eildit puir are thiggin'.

The whip-the-cat's aff fae hoose to hoose,
  Wi' his oxtered lap-buird lampin',
An' hard ahint, wi' the shears an' goose,
  His wee, pechin' 'prentice trampin'.

The laird's approach gets a coat o' san',
  When the grieve can spare a yokin';
On the market stance there's a tinker clan,
  An' the guidwife's hens are clockin'.

The mason's harp is set up on en',
  He's harlin' the fire-hoose gable;
The sheep are aff to the hills again
  As hard as the lambs are able.

There's spots o' white on the lang brown park,
  Where the sacks o' seed are sittin';
An' wily craws fae the dawn to dark
  At the harrow tail are flittin'.

The liftward lark lea's the dewy seggs,
In the hedge the yeldrin's singin';
The teuchat cries for her harried eggs,
In the bothy window hingin'.

Nae snaw-bree now in the Leochel Burn,
Nae a water baillie goupin'—
But hear the whirr o' the miller's pirn,
The plash where the trouts are loupin'.

CHARLES MURRAY

A GREEN YULE

I'M weary, weary houkin', in the cauld, weet, clorty clay,
But this will be the deepest in the yaird;
It's nae a four fit dibble for a common man the day—
Ilk bane I'm layin' by is o' a laird.
Whaever slips the timmers, lippens me to mak' his bed,
For lairds maun just be happit like the lave;
An' kistit corps are lucky, for when a'thing's deen an' said,
There's lythe, save for the livin', in a grave.

Up on the watch-tower riggin' there's a draggled hoodie craw
That hasna missed a funeral the year;
He kens as weel's anither this will fairly ding them a',
Nae tenant on the land but will be here.
Sae up an' doon the tablin' wi' a gloatin' roupy hoast,
He haps, wi' twistit neck an' greedy e'e,
As if some deil rejoicin' that anither sowl was lost
An' waitin' for his share o' the dregie.

There's sorrow in the mansion, an' the Lady that tak's on
Is young to hae sae muckle on her han',
Wi' the haugh lands to excamb where the marches cross the Don,
An' factors aye hame-drauchted when they can.
Come spring, we'll a' be readin', when the kirk is latten oot,
" Displenish " tackit up upon the yett ;
For hame-fairm, cairts an' cattle, will be roupit up, I doot,
The policies a' pailined aff an' set.

Twa lairds afore I've happit, an' this noo will mak' the third,
An' tho' they spak' o' him as bein' auld,
It seerly seemed unlikely I would see him in the yird,
For lang ere he was beardit I was bald.
It's three year by the saxty, come the week o' Hallow Fair,
Since first I laid a divot on a grave ;
The Hairst o' the Almighty I hae gathered late an' ear',
An' coont the sheaves I've stookit, by the thrave.

I hae kent grief at Marti'mas would neither haud nor bin'—
It was sair for even unco folk to see ;
Yet ere the muir was yellow wi' the blossom on the whin,
The tears were dry, the headstane a' ajee.
Nae bairns, nae wife, will sorrow, when at last I'm laid awa',
Nae oes will plant their daisies at my head ;
A' gane, but I will follow soon, an' weel content for a'
There's nane but fremt to lay me in my bed.

Earth to earth, an' dust to dust, an' the sowl gangs back to God :
An' few there be wha think their day is lang :
Yet here I'm weary waitin', till the Master gies the nod,
To tak' the gait I've seen sae mony gang.
I fear whiles He's forgotten on his eildit gard'ner here,
But ae day He'll remember me, an' then
My birn o' sins afore Him I'll spread on the Judgment fleer,
Syne wait until the angel says " Come ben."

There noo, the ill bird's flaffin' on the very riggin' stane,
He sees them, an' could tell ye, did ye speer,
The order they will come in, ay, an' name them ilka ane,
An' lang afore the funeral is here.
The feathers will be noddin' as the hearse crawls past the Toll,
As soon's they tap the knowe they'll be in sicht ;
The driver on the dickey knappin' sadly on his mull,
Syne raxin' doon to pass it to the vricht.

The factor in the carriage will be next, an' ridin' close
The doctor, ruggin' hard upon his grey ;
The farmers syne, an' feuars speakin' laich aboot their loss,
Yet thankfu' for the dram on sic a day.
Ay, there at last they're comin', I maun haste an' lowse the tow
An' ring the lang procession doon the brae ;
I've heard the bell sae aften, I ken weel its weary jow,
The tale o' weird it tries sae hard to say.

Bring them alang, the young, the strang,
The weary an' the auld ;
Feed as they will on haugh or hill,
This is the only fauld.

Dibble them doon, the laird, the loon,
King an' the cadgin' caird,
The lady fine beside the queyn,
A' in the same kirkyaird.

The warst, the best, they a' get rest;
Ane 'neth a headstane braw,
Wi' deep-cut text; while ower the next
The wavin' grass is a'.

Mighty o' name, unknown to fame,
Slippit aneth the sod;
Greatest an' least alike face east,
Waitin' the trump o' God.

CHARLES MURRAY

AFTER THE BATTLE

On the cauld hillside,
On the screes o' stane,
A' gashed an' bluidy
Quate lie the slain.

Snell win's sough owre them,
Reid flows the rill;
But the deid unheedin'
Lie awesome still.

The corbie flaps to them
An' croaks fu' grim;
Sae sound they are sleepin'
They carena for him.

The sun is settin'
  A bricht, blude reid;
Straucht at him glower
  The unseein' deid.

On the cauld hillside,
  On the screes o' stane,
Their day's darg ended
  Sleep noo the slain.

T. HENDERSON

THE SERGEANT OF PIKES

WHEN I sat in the service o' foreign commanders,
  Selling a sword for a beggar man's fee,
Learning the trade o' the warrior who wanders,
  To mak' ilka stranger a sworn enemie;
There was ae thought that nerved me, and brawly it served me.
  With pith to the claymore wherever I won,—
'Twas the auld sodger's story, that, gallows or glory,
  The Hielan's, the Hielan's were crying me on!

I tossed upon swinging seas, splashed to my kilted knees,
  Ocean or ditch, it was ever the same;
In leaguer or sally, tattoo or revally,
  The message on every pibroch that came,
Was "Cruachan, Cruachan, O son remember us,
  Think o' your fathers and never be slack!"
Blade and buckler together, though far off the heather,
  The Hielan's, the Hielan's were all at my back!

The ram to the gateway, the torch to the tower,
We rifled the kist, and the cattle we maimed;
Our dirks stabbed at guess through the leaves o' the bower,
And crimes we committed that needna be named:
Moonlight or dawning grey, Lammas or Lady-day,
Donald maun dabble his plaid in the gore;
He maun hough and maun harry, or should he miscarry,
The Hielan's, the Hielan's will own him no more!

And still, O strange Providence! mirk is your mystery,
Whatever the country that chartered our steel
Because o' the valiant repute o' our history,
The love o' our ain land we maistly did feel;
Many a misty glen, many a sheiling pen,
Rose to our vision when slogans rang high;
And this was the solace bright came to our starkest fight,
A' for the Hielan's, the Hielan's we die!

A Sergeant o' Pikes, I have pushed and have parried O
(My heart still at tether in bonny Glenshee);
Weary the marches made, sad the towns harried O,
But in fancy the heather was aye at my knee:
The hill-berry mellowing, stag o' ten bellowing,
The song o' the fold and the tale by the hearth,
Bairns at the crying and auld folks a-dying,
The Hielan's sent wi' me to fight round the earth!

O the Hielan's, the Hielan's, praise God for His favour,
That ane sae unworthy should heir sic estate,
That gie'd me the zest o' the sword, and the savour
That lies in the loving as well as the hate.
Auld age may subdue me, a grim death be due me,
For even a Sergeant o' Pikes maun depart,
But I'll never complain o't, whatever the pain o't,
The Hielan's, the Hielan's were aye at my heart!

NEIL MUNRO

GLOAMING

THE hinmaist whaup has quat his eerie skirl,
The flichtering gorcock tae his cover flown;
Din dwines athort the muir; the win' sae lown
Can scrimply gar the stey peat-reek play swirl
Abune the herd's auld bield, or halflins droon
The laich seep-sabbin' o' the burn doon by,
That deaves the corrie wi' its wilyart croon.
I wadna niffer sic a glisk—not I—
Here, wi' my fit on ane o' Scotland's hills,
Heather attour, and the mirk lift owre a',
For foreign ferly or for unco sight
E'er bragg'd in sang; mair couthie joy distills
Frae this than glow'rin' on the tropic daw',
Or bleezin' splendours o' the norlan' nicht.

ROBERT REID

KIRKBRIDE

BURY me in Kirkbride,
Where the Lord's redeemed anes lie;
The auld kirkyaird on the grey hillside,
Under the open sky;
Under the open sky;
On the breist o' the brae sae steep.
And side by side wi' the banes that lie
Streikt there in their hinmaist sleep:
This puir dune body maun sune be dust,
But it thrills wi' a stoun' o' pride,
To ken it may mix wi' the great and just
That slumber in thee, Kirkbride.

Little o' peace or rest
Had we, that hae aften stude
Wi' oor face to the foe on the mountain's crest,
Sheddin' oor dear heart's blude ;
Sheddin' oor dear heart's blude
For the richts that the Covenant claimed,
And ready wi' life to mak' language gude
Gin the King or his Kirk we blamed ;
And aften I thocht in the dismal day
We'd never see gloamin' tide,
But melt like the cranreuch's rime that lay
I' the dawin, abune Kirkbride.

But gloamin' fa's at last
On the dour, dreich, dinsome day,
And the trouble through whilk we hae safely past
Has left us weary and wae ;
Has left us weary and wae,
And fain to be laid, limb-free,
In a dreamless dwawm to be airtit away
To the shores o' the crystal sea ;
Far frae the toil, and the moil, and the murk,
And the tyrant's curséd pride,
Row'd in a wreath o' the mists that lurk,
Heaven-sent, aboot auld Kirkbride.

Wheesht ! did the saft win' speak ?
Or a yaumerin' nicht bird cry ?
Did I dream that a warm haun touch't my cheek,
And a winsome face gade by ?
And a winsome face gade by.
Wi' a far-aff licht in its een,
A licht that bude come frae the dazzlin' sky,
For it spak' o' the starnies' sheen :

Age may be donart, and dazed and blin',
  But I'se warrant, whate'er betide,
A true heart there made tryst wi' my ain,
  And the tryst-word seemed, Kirkbride.

Hark ! frae the far hill-taps,
  And laich frae the lanesome glen,
Some sweet psalm-tune like a late dew draps
  Its wild notes doun the win' ;
  Its wild notes doun the win',
Wi' a kent soun' owre my min'
  For we sang't on the muir, a wheen huntit
    men,
Wi' oor lives in oor haun langsyne ;
But never a voice can disturb this sang,
  Were it Claver'se in a' his pride,
For it's raised by the Lord's ain ransom'd thrang
  Forgether'd abune Kirkbride.

I hear May Moril's tongue,
  That I wistna to hear again,
And there—'twas the black M'Michael's rung
  Clear in the closin' strain ;
  Clear in the closin' strain,
Frae his big heart, bauld and true :
  It stirs my saul as in days bygane,
When his gude braidsword he drew :
I needs maun be aff to the muirs ance mair,
  For he'll miss me by his side :
I' the thrang o' the battle I aye was there,
  And sae maun it be in Kirkbride.

Rax me a staff and plaid,
  That in readiness I may be,
And dinna forget that THE BOOK be laid
  Open, across my knee ;

Open, across my knee,
And a text close by my thoom,
And tell me true, for I scarce can see,
That the words are, " Lo, I come " ;
Then carry me through at the Cample ford,
And up by the lang hillside,
And I'll wait for the comin' o' God, the Lord,
In a neuk o' the auld Kirkbride !

ROBERT REID

A LOWDEN SABBATH MORN

THE clinkum-clank o' Sabbath bells
Noo to the hoastin' rookery swells,
Noo faintin' laigh in shady dells,
Sounds far an' near,
An' through the simmer kintry tells
Its tale o' cheer.

An' noo, to that melodious play,
A' deidly awn the quiet sway—
A' ken their solemn holiday,
Bestial an' human,
The singin' lintie on the brae,
The restin' plou'man.

He, mair than a' the lave o' men,
His week completit joys to ken ;
Half-dressed, he daunders out an' in,
Perplext wi' leisure ;
An' his raxt limbs he'll rax again
Wi' painfu' pleesure.

The steerin' mither strang afit
Noo shoos the bairnies but a bit ;

Noo cries them ben, their Sinday shüit
   To scart upon them,
Or sweeties in their pouch to pit,
   Wi' blessin's on them.

The lasses, clean frae tap to taes,
Are busked in crunklin' underclaes ;
The gartened hose, the weel-filled stays,
   The nakit shift,
A' bleached on bonny greens for days,
   An' white's the drift.

An' noo to face the kirkward mile :
The guidman's hat o' dacent style,
The blackit shoon, we noo maun fyle
   As white's the miller :
A waefu' peety tae, to spile
   The warth o' siller.

Our Marg'et, aye sae keen to crack,
Douce-stappin' in the stoury track,
Her emeralt goun a' kiltit back
   Frae snawy coats,
White-ankled, leads the kirkward pack
   Wi' Dauvit Groats.

A thocht ahint, in runkled breeks,
A' spiled wi' lyin' by for weeks,
The guidman follows closs, an' cleiks
   The sonsie missis ;
His sarious face at aince bespeaks
   The day that this is.

And aye an' while we nearer draw
To whaur the kirkton lies alaw,

Mair neebours, comin' saft an' slaw
  Frae here an' there,
The thicker thrang the gate an' caw
  The stour in air.

But hark! the bells frae nearer clang;
To rowst the slaw, their sides they bang;
An' see! black coats a'ready thrang
  The green kirkyaird;
And at the yett, the chestnuts spang
  That brocht the laird.

The solemn elders at the plate
Stand drinkin' deep the pride o' state:
The practised hands as gash an' great
  As Lords o' Session;
The later named, a wee thing blate
  In their expression.

The prentit stanes that mark the deid,
Wi' lengthened lip, the sarious read;
Syne wag a moraleesin' heid,
  An' then an' there
Their hirplin' practice an' their creed
  Try hard to square.

It's here our Merren lang has lain,
A wee bewast the table-stane;
An' yon's the grave o' Sandy Blane;
  An' further ower,
The mither's brithers, dacent men!
  Lie a' the fower.

Here the guidman sall bide awee
To dwall amang the deid; to see

Auld faces clear in fancy's e'e ;
  Belike to hear
Auld voices fa'in saft an' slee
  On fancy's ear.

Thus, on the day o' solemn things,
The bell that in the steeple swings
To fauld a scaittered faim'ly rings
  Its welcome screed ;
An' just a wee thing nearer brings
  The quick an' deid.

But noo the bell is ringin' in ;
To tak' their places, folk begin ;
The minister himsel' will shune
  Be up the gate,
Filled fu' wi' clavers about sin
  An' man's estate.

The tunes are up—French, to be shüre,
The faithfu' French, an' twa-three mair ;
The auld prezenter, hoastin' sair,
  Wales out the portions,
An' yirks the tune into the air
  Wi' queer contortions.

Follows the prayer, the readin' next,
An' than the fisslin' for the text—
The twa-three last to find it, vext
  But kind o' proud ;
An' than the peppermints are raxed,
  An' southernwood.

For noo's the time whan pows are seen
Nid-noddin' like a mandareen ;

When tenty mithers stap a preen
  In sleepin' weans ;
An' nearly half the parochine
  Forget their pains.

There's just a waukrif' twa or three ;
Thrawn commentautors sweer to 'gree,
Weans glowrin' at the bumlin' bee
  On windie-glasses,
Or lads that tak a keek a-glee
  At sonsie lasses.

Himsel', meanwhile, frae whaur he cocks
An' bobs belaw the soundin' box,
The treesures of his words unlocks
  Wi' prodigality,
An' deals some unco dingin' knocks
  To infidality.

Wi' sappy unction, hoo he burkes
The hopes o' men that trust in works,
Expounds the fau'ts o' ither kirks,
  An' shaws the best o' them
No' muckle better than mere Turks,
  When a's confessed o' them.

Bethankit ! what a bonny creed !
What mair would ony Christian need ?—
The braw words rumm'le ower his heid,
  Nor steer the sleeper ;
And in their restin' graves, the deid
  Sleep aye the deeper.

ROBERT LOUIS STEVENSON

CONSCIENCE

'TWAS a bonnie day—and a day o' dule
The day I plunkit the Sawbath schule!

I wan'ert awa' ayont the knowes,
Where the bluebell blaws and the arnut grows;
The bee on the thistle, the bird on the tree—
A'thing I saw was blithe—but me.

Weary and wae at last I sank
'Mang the gowan beds on the railway bank—
But never a train cam' whistlin' by—
And oh! but a lanely bairn was I.

And I joukit hame frae tree to tree—
For I kent that I was whaur I sudna be,
When I saw the bad men—the men that play
At cartes and quoits on the Sawbath Day.

But—cunnin' wee cowart—I waitit till
It was time to skail frae the Sawbath schule;
Naebody kent—but I kent mysel'—
And I gaed to my bed in the fear o' hell.

Conscience, thou Justice cauld and stern,
Aften thy sairest word I earn:
But this is a thing I'll ne'er forgie—
It wisna fair wi' a bairn like me.

WALTER WINGATE

A NIGHT'S RAIN

THE thunder clap may clatter—
The lichtnin' flare awa':
I'm listenin' to the water,
And heed them nocht ava.

I canna think o' sleepin':
I canna hear eneuch
The sang the trees are dreepin',
The music o' the sheugh!

And 'neath the roof that's drummin'
Wi' mair than rhone can kep,
Wi' faster fa' is comin'
The plop upon the step.

My famished flowers are drinkin'
In ilka drookit bed:
An' siller blabs are winkin'
On ilka cabbage bled.

And in my blankets rowin'
I think on hay an' corn—
I maist can hear them growin':
We'll see an odds the morn.

WALTER WINGATE

THE FARMER OF WESTERHA'

ABOON the braes I see him stand,
The tapmost corner o' his land,
An' scan wi' care, owre hill an' plain,
A prospect he may ca' his ain.

His yowes ayont the hillocks feed,
Weel herdit in by wakefu' Tweed,
An' canny through the loan his kye
Gang creepin' to the byre doun by.

His hayfields lie fu' smoothly shorn,
An' ripenin' rise his rigs o' corn ;
A simmer's e'enin' glory fa's
Upon his homestead's sober wa's.

A stately figure there he stands,
An' rests upon his staff his hands,—
Maist like some patriarch of eld,
In sic an e'enin's calm beheld.

A farmer he of Ochilside,
For worth respeckit far an' wide ;
A friend of justice and of truth,
A favourite wi' age and youth.

There's no' a bairn but kens him weel,
And ilka collie's at his heel ;
Nor beast nor body e'er had ocht
To wyte him wi' in deed or thocht.

Fu' mony a gloamin' may he stand
Aboon the braes to bless the land.
Fu' mony a simmer rise an' fa'
In beauty owre his couthie ha'.

For peacefu' aye, as simmer's air,
The kindly hearts that kindle there ;
Wha's friendship, sure an' aye the same,
For me mak's Westerha' a hame.

J. Logie Robertson

A WET DAY

Hughie's Pity for the Tinklers

THE mist lies like a plaid on plain,
The dyke-taps a' are black wi' rain,
A soakit head the clover hings,
On ilka puddle rise the rings.

Sair dings the rain upon the road,—
It dings, an' nae devallin' o'd;
Adoun the gutter rins a rill
Micht halflins ca' a country mill.

The very roadman's left the road;
The only kind o' beas' abroad
Are dyucks, rejoicin' i' the flood,
An' pyots, clatterin' i' the wud.

On sic a day wha taks the gate?
The cadger? maybe; but he's late.
The carrier? Na! He doesna flit
Unless, D.V., the pooers permit.

On sic a day wha taks the gate?
The tinkler, an' his tousie mate;
He foremost wi' a nose o' flint,
She sour an' sulky, yards ahint.

A blanket, fra her shouthers doun,
Wraps her an' a' her bundles roun'.
A second rain rins aff the skirt,
She skelps alang through dub an' dirt.

Her cheeks are red, her een are sma',
Her head wi' rain-draps beadit a'.
The yellow hair, like wires o' bress,
Springs, thrivin' in the rain, like gress.

Her man an' maister stalks in front,
Silent mair than a tinkler's wont;
His wife an' warkshop there ahint him,
This day he caresna if he tint them.

His hands are in his pouches deep,
He snooves alang like ane in sleep,
His only movement's o' his legs,
He carries a' aboon like eggs.

Sma' wecht, his skeleton an' skin,
And a dour heavy thocht within.
His claes, sae weel wi' weet they suit him,
They're like a second skin aboot him.

They're doun the road, they're oot o' sicht,
They'll reach the howff by fa' o' nicht,
In Poussie Nancy's cowp the horn,
An' tak' the wanderin' gate the morn.

They'll gie their weasands there a weet,
Wi' kindred bodies there they'll meet,
Wi' drookit gangerels o' the clan,
The surgeons o' the pat an' pan.

Already on the rain-washed wa'
A darker gloom begins to fa';
Sooms fra the sicht the soakin' plain,—
It's closin' for a nicht o' rain.

J. Logie Robertson

THE RETURN OF SPRING

Noo swallow-birds begin to big,
An' primrose-flooers to blaw;
An' Jockie whistles doun the rig
A fareweel to the snaw;
An' glints o' sunshine, glancin' gleg,
Licht up the buddin' shaw;
An' wrestlin' winds are playin' tig
Round ae bewildered craw.

Auld Tammas to the gavle-wa'
Nails up a cherry twig;
An' Mar'an waters, raw by raw,
Her bleachin' wi' a pig;
An' yonder—he's been lang awa'—
Comes Packie owre the brig;
An' country lads may noo gang braw,
An' country lasses trig.

J. Logie Robertson

A SONG OF HOPE

I dinna ken what's come ower me!
There's a howe whaur ance was a hert!
I never luik oot afore me,
An' a cry winna gar me stert;
There's naething nae mair to come ower me,
Blaw the win' frae ony airt!

For i' yon kirkyard there's a hillock,
A hert whaur ance was a howe;
An' o' joy there's no left a mealock—
Deid aiss whaur ance was a lowe!
For i' yon kirkyard, i' the hillock,
Lies a seed 'at winna grow.

It's my hert 'at hauds up the wee hillie—
That's hoo there's a howe i' my breist;
It's awa doon there wi' my Willie—
Gaed wi' him whan he was releast;
It's doon i' the green-grown hillie,
But I s' be efter it neist!

Come awa, nicht an' mornin,
Come ooks, years, a' Time's clan;
Ye're welcome ayont a' scornin!
Tak' me til him as fest as ye can,
Come awa, nicht an' mornin,
Ye are wings o' a michty span!

For I ken he's luikin an' waitin,
Luikin aye doon as I clim;
An' I'll no hae him see me sit greitin
I'stead o' gaein to him!
I'll step oot like ane sure o' a meetin,
I'll travel an' rin to him.

GEORGE MACDONALD

THE STARS ARE STEADY ABUNE

THE stars are steady abune;
I' the water they flichter and flee;
But, steady aye, luikin doon
They ken theirsels i' the sea.

A' licht, and clear, and free,
God, thou shinest abune;
Yet luik, and see thysel in me,
Aye on me luikin doon.

GEORGE MACDONALD

A SANG O' ZION

Ane by ane they gang awa ;
The getherer gethers grit and sma',
Ane by ane maks ane and a'.

Aye whan ane sets doon the cup
Ane ahint maun tak' it up :
Yet thegither they will sup !

Golden-heidit, ripe and strang,
Shorn will be the hairst or lang :
Syne begins a better sang !

George Macdonald

THE PIOBRACH O' KINREEN

Och, hey ! Kinreen o' the Dee,
Kinreen o' the Dee,
Kinreen o' the Dee—
Och, hey ! Kinreen o' the Dee.
I'll blaw up my chanter
I've sounded fu' weel,
To mony a ranter
In mony a reel ;
An' pour a' my heart i' the win'bag wi' glee ;
Och, hey ! Kinreen o' the Dee.
For licht was the lauchter on bonny Kinreen,
An' licht was the fitt-fa' that danced o'er the green,
An' licht were the hearts a', and lichtsome the eyne.
Och, hey ! Kinreen o' the Dee, etc.

The auld hoose is bare noo,
A cauld hoose to me ;
The hearth is nae mair noo
The centre o' glee ;

Nae mair for the bairnies the bield it has been :
Och, hey ! for bonny Kinreen.
The auld folk, the young folk, the wee anes an' a',
A hunder years' hame birds are harried awa'—
Are harried an' hameless whatever winds blaw.
Och, hey ! Kinreen o' the Dee, etc.

Fareweel my auld plew-lan' !
I'll never mair plew it ;
Fareweel my auld plew, an'
The auld yaud that drew it !
Fareweel my auld kail-yard, ilk bush an' ilk tree !
Och, hey ! Kinreen o' the Dee ;
Fareweel the auld braes that my han' keepit green ;
Fareweel the auld ways where we wandered unseen,
Ere the licht o' my hearth cam to bonny Kinreen.
Och, hey ! Kinreen o' the Dee, etc.

The auld kirk looks up o'er
The dreesome auld dead,
Like a saint speaking hope o'er
Some sorrowfu' bed.
Fareweel the auld kirk, and fareweel the kirk-green !
They speak o' a far better hame than Kinreen :
The place we wa'd cling to, puir simple auld fules,
O' oor births an' oor bridals, oor blisses an' dools,
Where the wee bits o' bairnies lie cauld i' the mools.
Och, hey ! Kinreen o' the Dee, etc.

I afttimes ha'e wondered
If deer be as dear,
As sweet ties o' kindred
To peasant or peer ;
As the tie to the hames o' the lan'-born be :
Och, hey ! Kinreen o' the Dee.

The heather that blossoms unkent on the moor,
Wad dee in the bonniest greenhouse, I'm sure,
To the wonder o' mony a forran-lan' flower.
Och, hey ! Kinreen o' the Dee, etc.

Though little the thing be
Oor ain we can ca',
That little we cling be
The mair that it's sma'.
Though puir was oor hame, and though wild was the scene,
'Twas the hame o' oor hearts, it was bonny Kinreen ;
And noo we maun leave it, baith grey head and bairn ;
Maun leave it to fatten the deer o' Knock Cairn,
An' a' fra Lochlee to the Morven o' Gairn,
Och, hey ! Kinreen o' the Dee,
Kinreen o' the Dee,
Kinreen o' the Dee—
Sae fareweel for ever, Kinreen o' the Dee !

WILLIAM FORSYTH

THE BLIND BOY'S PRANKS

MEN grew sae cauld, maids sae unkind,
Love kentna whaur to stay.
Wi' fient an arrow, bow, or string,—
Wi' droopin' heart an' drizzled wing,
He faught his lanely way.

" Is there nae mair, in Garioch fair,
Ae spotless hame for me ?
Hae politics, an' corn, an' kye,
Ilk bosom stappit ? Fie, O fie !
I'll swithe me o'er the sea."

He launched a leaf o' jessamine,
  On whilk he daured to swim,
An' pillowed his head on a wee rosebud,
Syne laithfu', lanely, Love 'gan scud
  Down Ury's waefu' stream.

The birds sang bonnie as Love drew near,
  But dowie when he gaed by ;
Till lull'd wi' the sough o' monie a sang,
He sleepit fu' soun' and sailed alang
  'Neath Heav'n's gowden sky !

'Twas just whaur creepin Ury greets
  Its mountain cousin Don,
There wandered forth a weelfaur'd deme,
Wha listless gazed on the bonnie stream,
As it flirted an' played with a sunny beam
  That flickered its bosom upon.

Love happit his head, I trow, that time,
  The jessamine bark drew nigh,
The lassie espied the wee rosebud,
An' aye her heart gae thud for thud,
  An' quiet it wadna lie.

" O gin I but had yon wearie wee flower
  That floats on the Ury sae fair ! "
She lootit her hand for the silly rose-leaf,
But little wist she o' the pawkie thief,
  That was lurkin' an' laughin' there !

Love glower'd when he saw her bonnie dark e'e,
  An' swore by Heaven's grace
He ne'er had seen, nor thought to see,
Since e'er he left the Paphian lea,
  Sae lovely a dwallin' place !

Syne, first of a', in her blythesome breast
He built a bower, I ween ;
An' what did the waefu' devilick neist ?
But kindled a gleam like the rosy east,
That sparkled frae baith her een.

WILLIAM THOM

A BORDER BURN

AH, Tam ! Gie me a Border burn
That canna rin without a turn,
And wi' its bonnie babble fills
The glens amang oor native hills.
How men that ance have ken'd aboot it
Can leeve their after lives without it
I canna tell, for day and nicht
It comes unca'd for to my sicht.
I see't this moment, plain as day,
As it comes bickerin' ower the brae,
Atween the clumps o' purple heather
Glistenin' in the summer weather,
Syne divin' in below the grun'
Where, hidden frae the sicht and sun,
It gibbers like a deid man's ghost
That clamours for the licht it's lost,
Till oot again the loupin' limmer,
Comes dancin' doon through shine and shimmer
At heidlang pace, till wi' a jaw
It jumps the rocky waterfa',
And cuts sic cantrips in the air,
The picter-pentin' man's despair ;
A row'ntree bus' oot ower the tap o't,
A glassy pule to kep the lap o't,
While on the brink the blue harebell
Keeks ower to see it's bonny sel'.

And sittin' chirpin' a' its lane
A water-waggy on a stane,
Ay, penter lad, thraw to the wund
Your canvas, this is holy grund;
Wi' a' its highest airt acheevin',
That picter's deid, and this is leevin'.

J. B. SELKIRK

A LAMMERMUIR LILT

HAPPY is the craw
That builds its nest on Trottenshaw,
An' drinks o' the waters o' Dye;
For nae mair may I!

Blythe may the muir-cock craw
On the moors abune Scaurlaw,
'Mang the heather blooms he'll flee;
But there nae mair will I be!

It's wal for the plovers that big
On the bonnie leas o' Whinrigg,
An' whistle on the Rawburn stane;
But I'll never be there again!

The hare may rin merry eneuch
On the braes o' Horsupcleuch,
Where the broom grows lang and fair;
But I'll never see it mair!

Blest are the trout whose doom
In the Water o' Watch to soom,
An' in the Twinlaw Ford to play;
But awa frae it I maun gae.

The tod may be happier still,
On the back o' the Twinlaw hill,
'Mang the bonnie moss-hags to hide;
But there I maunna bide!

LADY JOHN SCOTT

THE BUSH ABOON TRAQUAIR

WILL ye gang wi' me and fare
To the bush aboon Traquair?
Owre the high Minchmuir we'll up and awa'
This bonnie simmer noon,
While the sun shines fair aboon,
And the licht sklents saftly doon on holm and ha'.

And what wad ye do there,
At the bush aboon Traquair?
A lang dreich road, ye had better let it be;
Save some auld skrunts o' birk
I' the hill-side lirk
There's nocht in the warld for man to see.

But the blythe lilt o' yon air,
"The Bush aboon Traquair,"
I need nae mair, it's eneuch for me;
Owre my cradle its sweet chime
Cam' soughin' frae auld time,
Sae, tide what may, I'll awa' and see.

And what saw ye there,
At the bush aboon Traquair?
Or what did ye hear that was worth your heed?
I heard the cushies croon,
Thro' the gowden afternoon,
And the Quair burn singing doun to the vale o' Tweed.

And birks saw I three or four
Wi' grey moss bearded owre,
The last that are left o' the birken shaw,
Whar mony a simmer e'en
Fond lovers did convene,
Thae bonnie, bonnie gloamin's that are lang awa'.

Frae mony a but-an-ben,
By muirland, holm, and glen,
They cam' ane hour to spen' on the greenwood sward;
But lang hae lad and lass
Been lying 'neath the grass.
The green, green grass o' Traquair kirkyard.

They were blest beyond compare
When they held their trysting there
Amang thae greenest hills shone on by the sun;
And then they wan a rest,
The lownest and the best,
I' Traquair kirkyard when a' was dune.

Now the birks to dust may rot,
Names o' lovers be forgot,
Nae lads and lasses there ony mair convene,
But the blythe lilt o' yon air
Keeps the bush aboon Traquair
And the love that aince was there aye fresh and green.

JOHN CAMPBELL SHAIRP

THE ANNUITY

I GAED to spend a week in Fife—
An unco week it proved to be—
For there I met a waesome wife
Lamentin' her viduity.

Her grief brak out sae fierce and fell,
I thought her heart wad burst the shell :
And—I was sae left to mysel'—
  I sell't her an annuity.

The bargain lookit fair enough—
  She just was turned o' saxty-three ;
I couldna guessed she'd prove sae teugh,
  By human ingenuity.
But years have come, and years have gane,
And there she's yet as stieve's a stane—
The limmer's growin' young again,
  Since she got her annuity.

She's crined awa' to bane an' skin,
  But that it seems is nought to me ;
She's like to live—although she's in
  The last stage o' tenuity.
She munches wi' her wizened gums,
An' stumps about on legs o' thrums,
But comes—as sure as Christmas comes—
  To ca' for her annuity.

She jokes her joke, an' cracks her crack,
  As spunkie as a growin' flea—
An' there she sits upon my back,
  A livin' perpetuity.
She hurkles by her ingle side,
An' toasts an' tans her wrunkled hide—
Lord kens how lang she yet may bide
  To ca' for her annuity !

I read the tables drawn wi' care
  For an Insurance Company ;
Her chance o' life was stated there,
  Wi' perfect perspicuity.

But tables here or tables there,
She's lived ten years beyond her share,
An's like to live a dizzen mair,
To ca' for her annuity.

I gat the loon that drew the deed—
We spelled it o'er right carefully ;—
In vain he yerked his souple head,
To find an ambiguity ;
It's dated—tested—a' complete—
The proper stamp—nae word delete—
And diligence, as on decreet,
May pass for her annuity.

Last Yule she had a fearfu' hoast—
I thought a kink might set me free ;
I led her out, 'mang snaw and frost,
Wi' constant assiduity.
But Deil ma' care—the blast gaed by,
And missed the auld anatomy ;
It just cost me a tooth, forbye
Discharging her annuity.

I thought that grief might gar her quit—
Her only son was lost at sea—
But aff her wits behuved to flit,
An' leave her in fatuity !
She threeps, an' threeps, he's livin' yet,
For a' the tellin' she can get ;
But catch the doited runt forget
To ca' for her annuity !

If there's a sough o' cholera
Or typhus—wha sae gleg as she ?
Shc buys up baths, an' drugs, an' a',
In siccan superfluity !

She doesna need—she's fever proof—
The pest gaed o'er her very roof;
She tauld me sae—an' then her loof
Held out for her annuity.

Ae day she fell—her arm she brak—
A compound fracture as could be;
Nae Leech the cure wad undertak,
Whate'er was the gratuity.
It's cured !—She handles't like a flail—
It does as weel in bits as hale;
But I'm a broken man mysel'
Wi' her and her annuity.

Her broozled flesh, and broken banes,
Are weel as flesh an' banes can be.
She beats the taeds that live in stanes,
An' fatten in vacuity !
They die when they're exposed to air—
They canna thole the atmosphere;
But her ! expose her onywhere—
She lives for her annuity.

If mortal means could nick her thread,
Sma' crime it wad appear to me;
Ca't murder, or ca't homicide—
I'd justify't—an' do it tae.
But how to fell a withered wife
That's carved out o' the tree o' life—
The timmer limmer daurs the knife
To settle her annuity.

I'd try a shot.—But whar's the mark ?—
Her vital parts are hid frae me;
Her back-bane wanders through her sark
In an unkenn'd corkscrewity.

She's palsified—an' shakes her head
Sae fast about, ye scarce can see't ;
It's past the power o' steel or lead
    To settle her annuity.

She might be drowned ;—but go she'll not
    Within a mile o' loch or sea ;—
Or hanged—if cord could grip a throat
    O' siccan exiguity.
It's fitter far to hang the rope—
It draws out like a telescope ;
'Twad tak a dreadfu' length o' drop
    To settle her annuity.

Will puzion do't ?—It has been tried ;
    But, be't in hash or fricassee,
That's just the dish she can't abide,
    Whatever kind o' *goût* it hae.
It's needless to assail her doubts—
She gangs by instinct—like the brutes—
An' only eats an' drinks what suits
    Hersel' an' her annuity.

The Bible says the age o' man
    Threescore an' ten perchance may be ;
She's ninety-four ;—let them wha can
    Explain the incongruity.
She should hae lived afore the Flood—
She's come o' Patriarchal blood—
She's some auld Pagan, mummified
    Alive for her annuity.

She's been embalmed inside and out—
    She's sauted to the last degree—
There's pickle in her very snout
    Sae caper-like an' cruetty ;

Lot's wife was fresh compared to her;
They've kyanised the useless knir—
She canna decompose—nae mair
Than her accursed annuity.

The water-drap wears out the rock
As this eternal jaud wears me;
I could withstand the single shock,
But no the continuity.
It's pay me here—an' pay me there—
An' pay me, pay me, evermair;
I'll gang demented wi' despair—
I'm *charged* for her annuity!

George Outram

THE MIDGES DANCE ABOON THE BURN

The midges dance aboon the burn,
The dews begin to fa',
The pairtricks, down the rushy holm,
Set up their e'ening ca':
Now loud and clear the blackbird's sang
Rings thro' the briery shaw;
While, flitting gay, the swallows play
Around the castle wa'.

Beneath the golden gloamin' sky
The mavis mends her lay;
The redbreast pours his sweetest strains
To charm the lingering day;
While weary yeldrins seem to wail
Their little nestlings torn;
The merry wren, frae den to den,
Gaes jinking thro' the thorn.

The roses fauld their silken leaves,
  The foxglove shuts its bell,
The honeysuckle and the birk
  Spread fragrance thro' the dell.—
Let others crowd the giddy court
  Of mirth and revelry,—
The simple joys that Nature yields
  Are dearer far to me.

ROBERT TANNAHILL

THE DOUBLE

(*From Heine*)

THE nicht's deid still ; there's no a soon'.
In this hoose dwalt the lass I lo'ed.
It's lang, lang sin' she quat the toon,
But aye the hoose stands whaur it stüde.

A callant stands and gowps abüne ;
He seems to dree the rage o' Hell.
It gars me grue when by the müne
I see nane ither than mysel'.

You ill-daein' wraith, gae hod your face !
What gars you geck at a' the pein
That ance I tholed upon this place
Sae mony a nicht in auld lang syne ?

ALEXANDER GRAY

GRETCHEN AT THE SPINNING-WHEEL

(*From Goethe*)

MY peace I hae tint,
My hert is sair ;
Wanrestfu' I'll aye be
For evermair.

For when he's awa'
The place seems deid.
O' a' the lave
I tak nae heed.

My doited thochts
I canna tell ;
I fear I'm fey ;
I'm no mysel'.

My peace I hae tint,
My hert is sair ;
Wanrestfu' I'll aye be
For evermair.

To see him only
I keep keekin' oot ;
I juist gang furth
If he's aboot.

His gait sae prood,
His braw gallant mien ;
The sweet lauch o' his mou',
The bricht glint o' his een.

His words sae winsome,
Wha wad miss ?
His kind hand-shak,
And O ! his kiss.

My peace I hae tint,
My hert is sair ;
Wanrestfu' I'll aye be
For evermair.

For him my hert
Cries nicht and day ;
O, I wad haud him
Sae ticht for aye.

And kiss and kiss him,
As he were mine ;
O, blithe in his kisses
Wad I dee syne.

ALEXANDER GRAY

JOCK'S SONG

(*A free paraphrase on Victor Hugo's " Guitare "*)

SING, lads, and bend the bicker ; gloamin' draps
On Wiston side.
A' ye that dwal in sicht o' Tintock's taps
Frae Tweed to Clyde.
Gae stert your reels and ding the warlock Care
At young bluid's call.
The wind that blaws frae yont the mountain muir
Will steal my saul.

Mind ye the lass that üsed to bide langsyne
At Coulter-fit ?
(Gae pipe your sprigs, for youth is ill to bin'
And pleesures flit.)
Her mither keep't the inn, and doun the stair
A' day wad bawl.
The wind that blaws frae yont the mountain muir
Will steal my saul.

My heid rins round—I think they ca'd her Jean.
She looked sae high,
She walked sae prood, it micht hae been the Queen
As she gaed bye,

Buskit sae trig, and ower her yellow hair
A denty shawl.
The wind that blaws frae yont the mountain muir
Will steal my saul.

Ae day the King himsel' was ridin' through
And saw her face.
He telled his son, " For ae kiss o' her mou
I'd change my place
Wi' ony gangrel, roup my royal share,
My kingly hall."
The wind that blaws frae yont the mountain muir
Will steal my saul.

I kenna if I lo'ed the lassie true,
But this I ken ;
To get a welcome frae her een o' blue,
To see again
Her dimpled cheek, ten 'ears o' life I'd spare
In prison wall.
The wind that blaws frae yont the mountain muir
Will steal my saul.

Ae simmer morn when a' the lift was clear
And saft winds sighed,
Wi' kilted coats I saw her wanderin' near
The burnie's tide.
Thinks I, Queen Mary was na half as fair
In days o' aul'.
The wind that blaws frae yont the mountain muir
Will steal my saul.

Sing, lads, and bend the bicker ; e'enin' fa's—
My denty doo
Has sell't hersel' for gowd and silken braws
That weemen loe.

A feckless laird has bocht her beauty rare,
Her love, her all.
The wind that blaws frae yont the mountain muir
Will steal my saul.

I watched them as their coach gaed ower the pass
Wi' blindit een ;
A shilpit carle aside the brawest lass
That Scotland's seen.
Far, far she's gane, and toom the warld and puir
Whaur I maun dwal.
The wind that blaws frae yont the mountain muir
Will steal my saul.

A' day I wander like a restless ghaist
Ower hill and lea ;
The gun hangs in the spence, the rod's unused,
The dowg gangs free.
At nicht I dream, and O ! my dreams are sair,
My hert's in thrall.
The wind that blaws frae yont the mountain muir
Has stown my saul.

JOHN BUCHAN

CRO CHALAIN[1]

(*From the Gaelic*)

CRO CHALAIN will gi'e me
Sae canny and free,
Their milk on the hill-tap,
When's nane bye tae see.
Cro Chalain are bonnie,
Cro Chalain are braw ;
Like the wing o' the muirhen,
Brown spotted an' a'.

[1] Colin's Cattle.

Their milk they will gi'e me
Sae canny and free,
A' oor lane on the hill-tap,
When's nane bye tae see.
Cro Chalain are bonnie,
Cro Chalain are dear,
Grand at fillin' the coggie,
Sonsie calves they aye rear.

Cro Chalain are grazin'
Doun in the green field ;
And their milk withoot fetter,
They will readily yield.
Cro Chalain when wearied,
Wi' the heat o' the day,
Gae doun 'mang the heather,
And their calves roun' them play.

There's a load on my bosom ;
There's a tear in my e'e ;
I am wae and forfochten ;
There's nae sleepin' for me.
Cro Chalain are bonnie,
Cro Chalain are braw ;
Like the wing o' the muirhen,
Brown spotted an' a'.

CALUM MACFARLANE

THE AULD WIFE

(*Adapted from the German of Chamisso*)

YONDER she is, thrang at the washin',
The wifikie wi' snaw-white hair ;
Amang the frothin' suds she's splashin'
As yaul as ony young ane there.

Her life's been but a hash o' trouble,
  A straucht-on fecht wi' want an' care,
But tho' hard wark's near bent her double,
  She's never gien in to despair.

A' runkled noo her face, an' gruesome,
  Ye'd ne'er believe that lang, lang syne
She, too, was young an' fair an' lo'some,
  An' decked her hair wi' ribbons fine.
The lads cam after her i' thae days ;
  She lauched an' listened wi' the lave.
The memory of her pleasant play-days
  Lies buried in a lang-closed grave.

She lo'ed, an' wed the lad she wanted,
  An' life then seemed no' a' in vain ;
Syne he fell seeck ; she, naething daunted,
  Took up his burden wi' her ain.
She nursed the dwinin' man ; she tended
  To their three bairnies' bits o' needs,
An' by a' sorts o' shifts she fended
  To keep a roof abune their heids.

He deed. She thocht the warst was owre then,
  O' man's luve an' her youth bereft ;
But blacker clouds began to lour then,
  As, ane by ane, her bairns left.
Frem't mools lie on them. Noo she's waitin'
  Auld, puir, her lee-lane, for the en',
Her life-lang smeddum nocht abatin'
  Whatever mair the Heavens may sen'.

T. Henderson

"MEIN SCHATZ IST A REITER"

My lad is a sodger,
  On his horse he looks fine,
The horse is King Geordie's,
  The laddie is mine.

Blue his e'en, broun his hair,
  There's a dimple in his chin,
O, gin he hadna lo'ed me,
  What wad I hae dune?

The King thinks high o' him,
  He's sent him owre the sea
To 'fend his dominions,
  But what'll come o' me?

But he is my true love,
  An' true I will be,
Heest ye hame then, my ain lad,
  I'm thinkin' lang for thee!

T. Henderson

ANTRIN RHYMES

TARRY 'OO

TARRY 'oo, tarry 'oo,
   Tarry 'oo's ill to spin :
Caird it weel, caird it weel ;
   Caird it weel or ye begin.
When it's cairded, rowed and spun,
Then the work is halflins dune ;
When it's woven, dressed and clean,
It may be cleidith for a queen.
      Tarry 'oo, tarry 'oo, etc.

THE HORNY GOLLACH

THE horny Gollach's an awesome beast,
   Souple an' scaley ;
He has twa horns an' a hantle o' feet
   An' a forky tailie.

THE ROBIN CAM TO THE WREN'S NEST

THE robin cam to the wren's nest
   And keekit in, and keekit in :
" O weel's me on your auld pow
   Wad ye be in, wad ye be in ?
For ye sall never lie without
   And me within, and me within,
As lang's I hae an auld clout
   To row you in, to row you in."

MARCH SAID TO APRIL

MARCH said to April,
"I see three hoggs upon the hill;
But lend your first three days to me,
And I'll be boun' to gar them dee.
The first, it sall be wind and weet,
The next, it sall be snaw and sleet,
The third, it sall be sic a freeze,
Sall gar the birds stick to the trees."
But when the borrowed days were gane,
The three silly hoggs cam hirplin hame.

OH, THE MILL, MILL, OH

OH the mill, mill, oh!
And the Kiln, Kiln, oh!
And the coggin' o' Peggy's wheel, oh!
The sack and the sieve
And a' she did leave,
To dance the miller's reel, oh!

HOW TO FIX THE DATE OF EASTER

FIRST comes Candlemas,
An' syne the new meen,
The first Tuesday after that
'S aye Fastern's E'en.
That meen oot,
An' the neist meen's hicht,
An' the first Sunday efter that
'S aye Pess richt.

BUCHLYVIE

Baron of Buchlyvie,
May the foul fiend drive ye,
And a' to pieces rive ye,
For buildin' sic a town,
Where there's neither horse meat nor
man's meat,
Nor a chair to sit down.

TWEED AND TILL

Tweed said to Till
" What gars ye rin sae still ? "
Till said to Tweed,
" Though ye rin wi' speed,
And I rin slaw,
Where ye droun ae man,
I droun twa."

MENSTRIE

Oh, Alva woods are bonnie,
Tillicoultry hills are fair ;
But when I think o' the bonnie braes i'
Menstrie,
It maks my heart ay sair.

JACOBITE

BONNIE DUNDEE

To the Lords of Convention 'twas Claver 'se who spoke,
Ere the King's crown shall fall there are crowns to be
broke ;
So let each Cavalier who loves honour and me,
Come follow the bonnet of Bonnie Dundee.
" Come fill up my cup, come fill up my can,
Come saddle your horses and call up your men ;
Come open the West Port, and let me gang free,
And it's room for the bonnets of Bonnie Dundee! "

Dundee he is mounted, he rides up the street,
The bells are rung backward, the drums they are beat ;
But the Provost, douce man, said, " Just e'en let him be,
The Gude Town is weel quit of that Deil of Dundee."
" Come fill up my cup," etc.

With sour-featured Whigs the Grassmarket was pang'd
As if half the West had set tryst to be hang'd ;
There was spite in each look, there was fear in each e'e,
As they watched for the bonnets of Bonnie Dundee.
" Come fill up my cup," etc.

These cowls of Kilmarnock had spits and had spears,
And lang-hafted gullies to kill Cavaliers ;
But they shrunk to close-heads, and the causeway was
free,
At the toss of the bonnet of Bonnie Dundee.
" Come fill up my cup," etc.

He spurr'd to the foot of the proud Castle rock,
And with the gay Gordon he gallantly spoke;
"Let Mons Meg and her marrows speak twa words or
three,
For the love of the bonnet of Bonnie Dundee."
"Come fill up my cup," etc.

The Gordon demands of him which way he goes—
"Where'er shall direct me the shade of Montrose!
Your Grace in short space shall hear tidings of me,
Or that low lies the bonnet of Bonnie Dundee.
"Come fill up my cup," etc.

"There are hills beyond Pentland and lands beyond
Forth;
If there's lords in the Lowlands, there's chiefs in the
North;
There are wild Duniewassals, three thousands times
three,
Will cry *hoigh* for the bonnet of Bonnie Dundee.
"Come fill up my cup," etc.

"There's brass on the target of barken'd bull-hide,
There's steel in the scabbard that dangles beside;
The brass shall be burnish'd, the steel shall flash
free,
At a toss of the bonnet of Bonnie Dundee.
"Come fill up my cup," etc.

"Away to the hills, to the caves, to the rocks—
Ere I own an usurper, I'll couch with the fox;
And tremble, false Whigs, in the midst of your glee,
You have not seen the last of my bonnet and me!"
"Come fill up my cup," etc.

He waved his proud hand, and the trumpets were
blown,
The kettle-drums clash'd, and the horsemen rode on,
Till on Ravelston's cliffs and on Clermiston's lee,
Died away the wild war-notes of Bonnie Dundee.
"Come fill up my cup, come fill up my can,
Come saddle my horses and call up the men,
Come open your gates and let me gae free,
For it's up with the bonnets of Bonnie Dundee!"

SIR WALTER SCOTT

THE WEE, WEE GERMAN LAIRDIE

WHA the deil hae we gotten for a king,
But a wee, wee German lairdie!
An' whan we gaed to bring him hame,
He was delvin' in his kail-yairdie,
Sheuchin' kail an' laying leeks,
But the hose and but the breeks,
An' up his beggar duds he cleeks,
The wee, wee German lairdie.

An' he's clapt down in our gudeman's chair,
The wee, wee German lairdie;
An' he's brought fouth o' foreign leeks,
An' dibbled them in his yairdie.
He's pu'd the rose o' English louns,
An' broke the harp o' Irish clowns,
But our Scots thistle will jag his thumbs,
The wee, wee German lairdie.

Come up amang oor Highland hills,
Thou wee, wee German lairdie,
And see the Stuart's lang-kail thrive
We dibbled in our yairdie,

An' if a stock ye daur to pu',
  Or haud the yoking of a pleugh,
We'll break your sceptre o'er your mou',
  Thou wee bit German lairdie.

Our hills are steep, our glens are deep,
  Nae fitting for a yairdie ;
An' our norlan' thistles winna pu',
  Thou wee, wee German lairdie.
An' we've the trenchin' blades o' weir,
  Wad twine ye o' your German gear ;
An' pass ye 'neath the claymore's shear,
  Thou feckless German lairdie.

Auld Scotland, thou'rt ower cauld a hole
  For nursing siccan vermin ;
But the very dogs in England's court
  They bark and yowl in German.
Then keep thy dibble in thine ain hand,
  Thy spade but and thy yairdie,
For wha the deil hae we gotten for a king
  But a wee, wee German lairdie !

ALLAN CUNNINGHAM

WHA'LL BE KING BUT CHARLIE ?

THE news frae Moidart cam' yestreen
  Will soon gar mony ferlie ;
For ships o' war hae just come in,
  And landit Royal Charlie.

Come thro' the heather, around him gather,
  Ye're a' the welcomer early ;
Around him cling wi' a' your kin ;
  For wha'll be king but Charlie ?

Come thro' the heather, around him gather,
Come Ronald, come Donald, come a' thegither,
And crown your rightfu' lawfu' king!
  For wha'll be king but Charlie.

The Hieland clans, wi' sword in hand,
  Frae John o' Groats' to Airlie,
Hae to a man declared to stand
  Or fa' wi' Royal Charlie.
    Come thro' the heather, etc.

The Lowlands a', baith great an' sma,
  Wi' mony a lord and laird, hae
Declar'd for Scotia's king an' law,
  An' speir ye wha but Charlie.
    Come thro' the heather, etc.

There's ne'er a lass in a' the lan',
  But vows baith late an' early,
She'll ne'er to man gie heart nor han'
  Wha wadna fecht for Charlie.
    Come thro' the heather, etc.

Then here's a health to Charlie's cause,
  And be't complete an' early;
His very name our heart's blood warms;
  To arms for Royal Charlie!

Come thro' the heather, around him gather,
  Ye're a' the welcomer early;
Around him cling wi' a' your kin;
  For wha'll be king but Charlie?
Come thro' the heather, around him gather,
Come Ronald, come Donald, come a' thegither,
And crown your richtfu', lawfu' king!
  For wha'll be king but Charlie?

LADY NAIRNE

THE HUNDRED PIPERS

WI' a hundred pipers an' a', an' a',
Wi' a hundred pipers an' a', an' a',
We'll up an' gi'e them a blaw, a blaw,
Wi' a hundred pipers an' a', an' a'.
Oh ! it's owre the Border awa', awa',
It's owre the Border awa', awa',
We'll on and we'll march to Carlisle ha',
Wi' its yetts, its castell, an' a', an' a'.

Oh ! our sodger lads looked braw, looked braw,
Wi' their tartans, kilts, an' a', an' a',
Wi' their bonnets, an' feathers, an' glittering gear,
An' pibrochs sounding sweet and clear.
Will they a' return to their ain dear glen ?
Will they a' return, our Hieland men ?
Second-sichted Sandy looked fu' wae,
And mithers grat when they marched away.
 Wi' a hundred pipers, etc.

Oh wha is foremost o' a', o' a' ?
Oh wha does follow the blaw, the blaw ?
Bonnie Charlie, the king o' us a', hurra !
Wi' his hundred pipers an' a', an' a'.
His bonnet an' feather he's wavin' high,
His prancin' steed maist seems to fly,
The nor' wind plays wi' his curly hair,
While pipers blaw in an unco flare.
 Wi' a hundred pipers, etc.

The Esk was swollen, sae red and sae deep,
But shouther to shouther the brave lads keep :
Twa thousand swam owre to fell English ground,
An' danced themselves dry to the pibroch's sound.

Dumfounder'd, the English saw—they saw—
Dumfounder'd, they heard the blaw, the blaw,
Dumfounder'd, they a' ran awa', awa',
Frae the hundred pipers an' a', an' a'.
Wi' a hundred pipers, etc.

LADY NAIRNE

LEWIE GORDON

OCH hon! my Highland man,
Och, my bonny Highland man;
Weel would I my true love ken
Among ten thousand Highland men.

Oh! send Lewie Gordon hame,
And the lad I daurna name;
Though his back be at the wa',
Here's to him that's far awa'!

Oh! to see his tartan trews,
Bonnet blue, and laigh-heel'd shoes;
Philabeg aboon his knee,
That's the lad that I'll gang wi'!

Och hon! my Highland man,
Och, my bonny Highland man;
Weel would I my true love ken
Among ten thousand Highland men.

ALEXANDER GEDDES

IT WAS A' FOR OUR RIGHTFU' KING

IT was a' for our rightfu' King
We left fair Scotland's strand;
It was a' for our rightfu' King
We e'er saw Irish land,
My dear;
We e'er saw Irish land.

Now a' is done that men can do,
And a' is done in vain;
My love and native land farewell,
For I maun cross the main,
My dear;
For I maun cross the main.

He turn'd him right and round about
Upon the Irish shore;
And gae his bridle-reins a shake,
With "Adieu for evermore,
My dear!"
With "Adieu for evermore!"

The sodger from the wars returns,
The sailor frae the main;
But I hae parted frae my love,
Never to meet again,
My dear;
Never to meet again.

When day is gane, and night is come,
And a' folk bound to sleep;
I think on him that's far awa,
The lee-lang night, and weep,
My dear;
The lee-lang night, and weep.

CAPTAIN OGILVY (?)

LADY KEITH'S LAMENT

I MAUN sit in my wee croo house,
At the rock and the reel to toil fu' dreary;
I maun think on the day that's gane,
And sigh and sab till I grow weary.

I ne'er could brook, I ne'er could brook,
  A foreign loon to own or flatter ;
But I will sing a rantin' sang,
  That day our king comes ower the water.

O gin I live to see the day,
  That I hae begg'd, and begg'd frae Heaven,
I'll fling my rock and reel away,
  And dance and sing frae morn till even ;
For there is ane I winna name,
  That comes the beingin' byke to scatter ;
And I'll put on my bridal goun,
  That day our King comes ower the water.

I hae seen the gude auld day,
  The day o' pride and chieftain's glory,
When royal Stuarts bare the sway,
  And ne'er heard tell o' Whig nor Tory.
Though lyart be my locks and grey,
  And eild has crook'd me down—what matter !
I'll dance and sing ae other day,
  The day our king comes ower the water.

A curse on dull and drawling Whig,
  The whining, ranting, low deceiver,
Wi' heart sae black, and look sae big,
  And canting tongue o' clish-ma-claver !
My father was a gude lord's son,
  My mither was an earl's daughter ;
And I'll be Lady Keith again,
  That day our king comes ower the water.

ANON.

WAE'S ME FOR PRINCE CHARLIE

A WEE bird cam to our ha' door,
He warbled sweet and clearly,
And aye the o'ercome o' his sang
Was " Wae's me for Prince Charlie ! "
Oh ! when I heard the bonny, bonny bird,
The tears came drapping rarely,
I took my bannet aff my head,
For weel I lo'ed Prince Charlie.

Quo' I, " My bird, my bonny, bonny bird,
Is that a tale ye borrow ?
Or is't some words ye've learnt by rote,
Or a lilt o' dool and sorrow ? "
" Oh ! no, no, no ! " the wee bird sang,
" I've flown sin' morning early ;
But sic a day o' wind and rain !—
Oh ! wae's me for Prince Charlie !

" On hills that are by right his ain,
He roams a lonely stranger ;
On ilka hand he's pressed by want,
On ilka side by danger.
Yestreen I met him in a glen,
My heart near bursted fairly,
For sadly changed indeed was he.—
Oh ! wae's me for Prince Charlie ?

" Dark night came on, the tempest howled
Out-owre the hills and valleys ;
And whaur was't that your prince lay down,
Whase hame should been a palace ?

He row'd him in a Highland plaid,
 Which covered him but sparely,
And slept beneath a bush o' broom.—
 Oh! wae's me for Prince Charlie!"

But now the bird saw some redcoats,
 And he shook his wings wi' anger:
"O this is no a land for me,
 I'll tarry here nae langer."
A while he hovered on the wing,
 Ere he departed fairly:
But weel I mind the fareweel strain;
 'Twas "Wae's me for Prince Charlie!"

WILLIAM GLEN

THE WHITE COCKADE

My love was born in Aberdeen,
The bonniest lad that e'er was seen;
But now he makes our hearts fu' sad—
He's ta'en the field wi' his white cockade.
 O, he's a ranting, roving blade!
 O, he's a brisk and a bonny lad!
 Betide what may, my heart is glad
 To see my lad wi' his white cockade.

O, leeze me on the philabeg,
The hairy hough, and garter'd leg!
But aye the thing that glads my ee,
Is the white cockade aboon the bree.

I'll sell my rock, I'll sell my reel,
My rippling kame, and spinning wheel,
To buy my lad a tartan plaid,
A braidsword and a white cockade.

I'll sell my rokelay and my tow,
My gude grey mare and hawket cow,
That ev'ry loyal Buchan lad
May tak' the field wi' his white cockade.

ANON.

AWA, WHIGS, AWA

AWA, Whigs, awa,
Awa, Whigs, awa,
Ye're but a pack o' traitor loons,
Ye'll ne'er do good at a'.

Our thristles flourished fresh and fair,
And bonny bloomed our roses ;
But Whigs came like a frost in June,
And withered a' our posies.
Awa, Whigs, etc.

Our sad decay in kirk and state
Surpasses my descriving ;
The Whigs cam o'er us for a curse,
And we ha'e done wi' thriving.
Awa, Whigs, etc.

A foreign Whiggish loon brought seeds
In Scottish yird to cover,
But we'll pu' a' his dibbled leeks,
And pack him to Hanover.
Awa, Whigs, etc.

Our ancient crown's fa'n i' the dust ;
Deil blind them wi' the stoure o't,
And write their names i' his black beuk,
Wha ga'e the Whigs the power o't.
Awa, Whigs, etc.

Grim Vengeance lang has ta'en a nap,
But we may see him wauken ;
Gude help the day, when royal heads
Are hunted like a maukin !
Awa, Whigs, etc.

The deil he heard the stoure o' tongues,
And ramping cam amang us ;
But he pitied us sae cursed wi' Whigs,
He turned and wadna wrang us.
Awa, Whigs, etc.

The deil sat grim amang the reek,
Thrang bundling brunstane matches,
And crooned 'mang the beuk-taking Whigs
Scraps of auld Calvin's catches.
Awa, Whigs, Awa,
Awa, Whigs, awa,
Ye'll run me out o' wun spunks,
Awa, Whigs, awa.

ANON.

THE PIPER O' DUNDEE

AND wasna he a roguey,
A roguey, a roguey,
And wasna he a roguey,
The piper o' Dundee ?

The piper came to our town,
To our town, to our town,
The piper came to our town,
And he played bonnilie,

He played a spring the laird to please,
A spring brent new frae yont the seas ;
And then he gae'd his bags a heeze,
  And played anither key.

He played " The welcome owre the main,"
And " Ye'se be fou and I'se be fain,"
And " Auld Stuarts back again,"
  Wi' muckle mirth and glee,
He played " The Kirk," he played " The Quier,"
" The Mullin Dhu " and " Chevalier,"
And " Lang awa', but welcome here,"
  Sae sweet, sae bonnilie.

It's some gats words, and some gats nane,
And some were dancing wud their lane,
And mony a vow o' weir was ta'en
  That night at Amulrie !
There was Tullibardine and Burleigh,
And Struan, Keith and Ogilvie,
And brave Carnegie, wha but he,
  The piper o' Dundee ?

ANON.

THE LOVELY LASS OF INVERNESS

THE lovely lass o' Inverness,
  Nae joy nor pleasure can she see ;
For e'en and morn she cries, alas !
  And aye the saut tear blins her ee :
Drumossie moor, Drumossie day,
  A waefu' day it was to me ;
For there I lost my father dear,
  My father dear, and brethren three.

Their winding-sheet the bluidy clay,
  Their graves are growing green to see ;
And by them lies the dearest lad
  That ever blest a woman's ee !
Now wae to thee, thou cruel lord,
  A bluidy man I trow thou be ;
For mony a heart thou hast made sair,
  That ne'er did wrang to thine or thee.

ROBERT BURNS

FOR CHILDREN

THIS IS THE WYE THE LEDDIES RIDE

THIS is the wye the leddies ride,
  Jimp an' sma', jimp an' sma',
This is the wye the gentlemen ride,
  Spurs an' a', spurs an' a';
This is the wye the cadgers ride,
  Creels an' a', creels an' a'.
The little wee cadgerie
  Loupit on the creels,
Knap gaed thc girdin' raip
  An' up gaed his heels.

PUSSIE AT THE FIRESIDE

PUSSIE at the fireside
  Suppin' up brose,
Doon cam a cinder
  An' brunt Pussie's nose.
"Eich!" cried Pussie,
  "That's nae fair!"
"It's a haet," said the cinder,
  "Ye sudna been there."

OH! CAN YE SEW CUSHIONS

OH! can ye sew cushions,
  And can ye sew sheets?
And can ye sing ballooloo
  When the bairnie greets?

And hee and baw birdie,
  And hee and baw lamb !
And hee and baw birdie,
  My bonnie wee lamb !

I biggit the cradle
  Upon the tree-top,
And aye, as the wind blew,
  My cradle did rock.
Oh, hush a baw baby.
  O, bawlilliloo !
And hee and baw birdie,
  My bonnie wee doo !

Hee O ! wee O ! what would I do wi' you ?
Black's the life that I lead wi' you !
Mony o' you, little for to gi'e you,
Hee O ! wee O ! what would I do wi' you.

THE TOD

" Eh," quo' the tod, " it's a braw licht nicht,
The win's i' the wast, an' the mune shines bricht,
The win's i' the wast, an' the mune shines bricht,
  An' I'll awa to the toun, O.

I was doun amang yon shepherd's scroggs ;
I'd like to hae been worried by his dogs ;
But by my sooth I minded his hoggs
  When I cam to the toun, O."

He's taen the gray goose by the green sleeve,
" Eh ! ye auld witch nae langer sall ye leeve ;
Your flesh it is tender, your banes I maun prieve ;
  For that I cam to the toun, O ! "

Up gat the auld wife oot o' her bed,
An' oot o' the window she shot her head,
" Eh, gudeman ! the gray goose is dead,
An the tod has been i' the toun, O ! "

BABBITY BOWSTER

WHA learned you to dance,
Babbity Bowster, Babbity Bowster ?
Wha learned you to dance,
Babbity Bowster, brawly ?

My minny learned me to dance,
Babbity Bowster, Babbity Bowster,
My minny learned me to dance,
Babbity Bowster, brawly.

Wha gae you the keys to keep,
Babbity Bowster, Babbity Bowster ?
Wha gae you the keys to keep,
Babbity Bowster, brawly ?

My minny gae me the keys to keep,
Babbity Bowster, Babbity Bowster,
My minny gae me the keys to keep,
Babbity Bowster, brawly.

HUSH-A-BA, BIRDIE, CROON, CROON

HUSH-A-BA, birdie, croon, croon,
Hush-a-ba, birdie, croon.
The sheep are gane to the siller wood,
And the cows are gane to the broom.

And it's braw milking the kye, kye,
It's braw milking the kye,
The birds are singing, the bells are ringing,
And the wild deer comes galloping by.

And hush-a-ba, birdie, croon, croon,
Hush-a-ba, birdie, croon.
The gaits are gane to the mountain hie,
And they'll no be hame till noon.

THE CRAW KILLED THE PUSSIE, O!

The craw's killed the pussie, O!
The craw's killed the pussie, O!
The muckle cat sat doon an' grat
In Willie's wee bit housie, O!
The craw's killed the pussie, O!
The craw's killed the pussie, O!
An' aye, aye, the kitten cried,
"Oh, wha'll bring me a mousie, O?"

Comin' by the rockie, O!
Comin' by the rockie, O!
I lickit out the pickle meal
An' played wi' the pockie, O!
The collie dog he sat an' growl'd,
But never steered the pussie, O!
But waur than a' the muckle craw
Has gane an' killed oor pussie, O.

THE FAUSE KNICHT UPON THE ROAD

"O whare are ye gaun?"
Quo' the fause knicht upon the road:
"I'm gaun to the scule,"
Quo' the wee boy, and still he stude.

"What is that upon your back?"
Quo' the fause knicht upon the road:
"Atweel it is my bukes,"
Quo' the wee boy, and still he stude.

"What's that ye've got in your arm?"
Quo' the fause knicht upon the road:
"Atweel it is my peit,"
Quo' the wee boy, and still he stude.

"Wha's aucht thae sheep?"
Quo' the fause knicht upon the road:
"They are mine and my mither's,"
Quo' the wee boy, and still he stude.

"How mony o' them are mine?"
Quo' the fause knicht upon the road:
"A' they that hae blue tails,"
Quo' the wee boy, and still he stude.

"I wiss ye were on yon tree,"
Quo' the fause knicht upon the road:
"And a gude ladder under me,"
Quo' the wee boy, and still he stude.

"And the ladder for to break,"
Quo' the fause knicht upon the road:
"And you for to fa' down,"
Quo' the wee boy, and still he stude.

"I wiss ye were in yon sie,"
Quo' the fause knicht upon the road:
"And a gude bottom under me,"
Quo' the wee boy, and still he stude.

"And the bottom for to break,"
Quo' the fause knicht upon the road:
"And ye to be drowned,"
Quo' the wee boy, and still he stude.

THE WEE, WEE MAN

As I was walking all alane
Atween a water and a wa',
O there I spy'd a wee, wee man,
And he was the least I ever saw:

His legs were scarce a shathmont lang,
And thick and thimber was his thie;
Atween his brows there was a span,
And atween his shoulders there was three.

He took up a mickle stane,
And flang't as far as I could see;
Though I had been a Wallace wight
I couldna liften't to my knee.

"O wee, wee man, but thou be strang,
O tell me where thy dwelling be?"
"My dwelling's down at yon bonnie bower,
O will you gang wi' me and see?"

On we lap, and awa' we rade,
Till we came to yon bonnie green;
We lighted down to bait our horse,
And out there cam a lady fine.

Four-and-twenty at her back,
And they were a' clad out in green;
Though the King of Scotland had been there,
The warst o' them might hae been his queen.

And on we lap, and awa' we rade,
Till we came to yon bonnie ha',
Whare the roof was o' the beaten gowd,
And the floor was o' the cristal a' :

And there were harpings loud and sweet,
And ladies dancing, jimp and sma' ;
But in the twinkling of an eye
My wee, wee man was clean awa'.

TAM O' THE LINN

TAM O' THE LINN cam up the gait,
Wi' twenty puddins on a plate,
And every puddin had a pin—
" There's wud eneuch here," quo' Tam o' the Linn.

Tam o' the Linn had nae breeks to wear,
He coft him a sheep's-skin to mak him a pair,
The fleshy side out, the woolly side in—
" It's fine summer cleedin'," quo' Tam o' the Linn.

Tam o' the Linn and a' his bairns,
They fell in the fire in ilk ither's airms ;
" Oh," quo' the bunemost, " I hae a het skin "—
" It's hetter below," quo' Tam o' the Linn.

Tam o' the Linn gaed to the moss
To seek a stable to his horse ;
The moss was open, and Tam fell in—
" I've stabled mysel'," quo' Tam o' the Linn.

ROBERT BURNS

CA' THE YOWES

CA' the yowes to the knowes,
Ca' them where the heather grows,
Ca' them where the burnie rowes,
  My bonie dearie.

Hark! the mavis' e'ening sang,
Sounding Clouden's woods amang;
Then a-faulding let us gang,
  My bonie dearie.

We'll gae down by Clouden side,
Thro' the hazels, spreading wide,
O'er the waves that sweetly glide,
  To the moon sae clearly.

Yonder Clouden's silent towers,
Where, at moonshine midnight hours,
O'er the dewy bending flowers,
  Fairies dance sae cheery.

Ghaist nor bogle shalt thou fear,
Thou'rt to Love and Heav'n sae dear,
Nocht of ill may come thee near;
  My bonie dearie.

Fair and lovely as thou art,
Thou hast stown my very heart;
I can die—but canna part,
  My bonie dearie.

ADDRESS TO THE DEIL

O THOU ! whatever title suit thee,
Auld Hornie, Satan, Nick, or Clootie,
Wha in yon cavern grim an' sootie,
Clos'd under hatches,
Spairges about the brunstane cootie,
To scaud poor wretches !

Hear me, auld Hangie, for a wee,
An' let poor damnèd bodies be ;
I'm sure sma' pleasure it can gie,
Ev'n to a deil,
To skelp an' scaud poor dogs like me,
An' hear us squeal !

Great is thy pow'r, an' great thy fame ;
Far kenn'd an' noted is thy name ;
An', tho' yon lowin heugh's thy hame,
Thou travels far ;
An' faith ! thou's neither lag nor lame,
Nor blate nor scaur.

Whyles rangin' like a roarin' lion
For prey, a' holes an' corners tryin' ;
Whyles on the strong-wing'd tempest flyin',
Tirlin' the kirks ;
Whyles, in the human bosom pryin',
Unseen thou lurks.

I've heard my reverend grannie say,
In lanely glens ye like to stray ;
Or, where auld ruin'd castles gray
Nod to the moon,
Ye fright the nightly wand'rer's way,
Wi' eldritch croon.

When twilight did my grannie summon
To say her pray'rs, douce, honest woman !
Aft yont the dyke she's heard you bummin',
Wi' eerie drone ;
Or, rustlin', thro' the boortrees comin',
Wi' heavy groan.

Ae dreary windy winter night,
The stars shot down wi' sklentin' light,
Wi' you mysel I gat a fright
Ayont the lough ;
Ye like a rash-buss stood in sight
Wi' waving sough.

The cudgel in my nieve did shake,
Each bristled hair stood like a stake,
When wi' an Eldritch stoor "quaick, quaick,"
Amang the springs,
Awa ye squatter'd like a drake
On whistlin' wings.

Let warlocks grim an' wither'd hags
Tell how wi' you on ragweed nags
They skim the muirs, an' dizzy crags
Wi' wicked speed ;
And in kirk-yards renew their leagues
Owre howkit dead.

Thence country wives, wi' toil an' pain,
May plunge an' plunge the kirn in vain ;
For oh ! the yellow treasure's taen
By witchin' skill ;
An' dawtit twal-pint Hawkie's gane
As yell's the bill.

Thence mystic knots mak great abuse
On young guidmen, fond, keen, an' crouse ;
When the best wark-lume i' the house,
By cantrip wit,
Is instant made no worth a louse,
Just at the bit.

When thowes dissolve the snawy hoord,
An' float the jinglin' icy-boord,
Then water-kelpies haunt the foord,
By your direction,
An' 'nighted trav'llers are allur'd
To their destruction.

An' aft your moss-traversing spunkies
Decoy the wight that late an' drunk is :
The bleezin, curst, mischievous monkies,
Delude his eyes,
Till in some miry slough he sunk is,
Ne'er mair to rise.

When masons' mystic word an' grip
In storms an' tempests raise you up,
Some cock or cat your rage maun stop,
Or, strange to tell !
The youngest brither ye wad whip
Aff straught to hell.

Lang syne, in Eden's bonnie yard,
When youthfu' lovers first were pair'd,
And all the soul of love they shar'd
The raptur'd hour,
Sweet on the fragrant flow'ry swaird,
In shady bow'r ;

Then you, ye auld snick-drawing dog !
Ye cam to Paradise incog.
An' play'd on man a cursed brogue,
(Black be you fa !)
An' gied the infant warld a shog,
'Maist ruin'd a'.

D'ye mind that day, when in a bizz,
Wi' reekit duds, an' reestit gizz,
Ye did present your smoutie phiz
'Mang better folk,
An' sklented on the man of Uz
Your spitefu' joke ?

An' how ye gat him i' your thrall,
An' brak him out o' house an' hal'
While scabs an' blotches did him gall
Wi' bitter claw,
An' lows'd his ill-tongu'd wicked scawl,
Was warst ava ?

But a' your doings to rehearse,
Your wily snares an' fechtin' fierce,
Sin' that day Michael did you pierce,
Down to this time,
Wad ding a' Lallan tongue, or Erse,
In prose or rhyme.

An' now, auld Cloots, I ken ye're thinkin',
A certain Bardie's rantin', drinkin',
Some luckless hour will send him linkin',
To your black pit ;
But faith ! he'll turn a corner jinkin',
An' cheat you yet.

But fare you weel, auld Nickie-ben !
O wad ye tak a thought an' men' !
Ye aiblins might—I dinna ken—
Still hae a stake :
I'm wae to think upo' yon den,
Ev'n for your sake !

OPEN THE DOOR TO ME, OH !

Oh, open the door, some pity to shew,
Oh, open the door to me, oh !
Tho' thou hast been false, I'll ever prove true,
Oh, open the door to me, oh !

Cauld is the blast upon my pale cheek,
But caulder thy love for me, oh !
The frost that freezes the life at my heart,
Is nought to my pains frae thee, oh !

The wan moon is setting ayont the white wave,
And time is setting with me, oh !
False friends, false love, farewell ! for mair
I'll ne'er trouble them, nor thee, oh !

She has open'd the door, she has open'd it wide ;
She sees his pale corse on the plain, oh !
My true love, she cried, and sank down by his side,
Never to rise again, oh !

TAM O' SHANTER

A Tale

"Of Brownyis and of Bogilis full is this Buke."
GAWIN DOUGLAS.

WHEN chapman billies leave the street,
And drouthy neebors, neebors meet,
As market-days are wearing late,
An' folk begin to tak the gate;
While we sit bousing at the nappy,
An' getting fou and unco happy,
We think na on the lang Scots miles,
The mosses, waters, slaps, and styles,
That lie between us and our hame,
Whare sits our sulky sullen dame,
Gathering her brows like gathering storm,
Nursing her wrath to keep it warm.
  This truth fand honest Tam o' Shanter,
As he frae Ayr ae night did canter,
(Auld Ayr, wham ne'er a town surpasses,
For honest men and bonnie lasses.)
  O Tam! hadst thou but been sae wise,
As ta'en thy ain wife Kate's advice!
She tauld thee weel thou was a skellum,
A blethering, blustering, drunken blellum;
That frae November till October,
Ae market-day thou was na sober;
That ilka melder, wi' the miller,
Thou sat as lang as thou had siller;
That ev'ry naig was ca'd a shoe on,
The smith and thee gat roaring fou on;
That at the Lord's house, ev'n on Sunday,
Thou drank wi' Kirkton Jean till Monday.
She prophesy'd that, late or soon,
Thou would be found deep drown'd in Doon;

Or catch'd wi' warlocks in the mirk,
By Alloway's auld, haunted kirk.
  Ah, gentle dames ! it gars me greet,
To think how monie counsels sweet,
How mony lengthen'd, sage advices,
The husband frae the wife despises !
  But to our tale : Ae market night,
Tam had got planted unco right ;
Fast by an ingle, bleezing finely,
Wi' reaming swats, that drank divinely ;
And at his elbow, Souter Johnny,
His ancient, trusty, drouthy crony ;
Tam lo'ed him like a vera brither ;
They had been fou for weeks thegither.
The night drave on wi' sangs and
    clatter ;
And aye the ale was growing better :
The landlady and Tam grew gracious,
Wi' favours, secret, sweet, and precious :
The Souter tauld his queerest stories ;
The landlord's laugh was ready chorus :
The storm without might rair and rustle,
Tam did na mind the storm a whistle.
  Care, mad to see a man sae happy,
E'en drown'd himsel amang the nappy.
As bees flee hame wi' lades o' treasure,
The minutes wing'd their way wi' pleasure ;
Kings may be blest, but Tam was glorious,
O'er a' the ills o' life victorious !
  But pleasures are like poppies spread,
You seize the flow'r, its bloom is shed ;
Or like the snowfalls in the river,
A moment white—then melts for ever ;
Or like the Borealis race,
That flit ere you can point their place ;
Or like the rainbow's lovely form
Evanishing amid the storm.

Nae man can tether time or tide—
The hour approaches Tam maun ride;
That hour, o' night's black arch the key-
stane,
That dreary hour he mounts his beast in;
And sic a night he taks the road in,
As ne'er poor sinner was abroad in.
The wind blew as 'twad blawn its last;
The rattling show'rs rose on the blast;
The speedy gleams the darkness swallow'd;
Loud, deep, and lang, the thunder bellow'd:
That night, a child might understand,
The Deil had business on his hand.
Weel mounted on his grey mare, Meg,
A better never lifted leg,
Tam skelpit on thro' dub and mire,
Despising wind, and rain, and fire;
Whiles holding fast his guid blue bonnet;
Whiles crooning o'er some auld Scots sonnet;
Whiles glow'ring round wi' prudent cares,
Lest bogles catch him unawares;
Kirk Alloway was drawing nigh,
Whare ghaists and houlets nightly cry.
By this time he was cross the ford,
Whare in the snaw the chapman smoor'd;
And past the birks and meikle stane,
Where drunken Charlie brak's neck-bane;
And thro' the whins, and by the cairn,
Where hunters fand the murder'd bairn;
And near the thorn, aboon the well,
Where Mungo's mither hang'd hersel.
Before him Doon pours all his floods;
The doubling storm roars thro' the woods;
The lightnings flash from pole to pole;
Near and more near the thunders roll:
When, glimmering thro' the groaning trees,
Kirk-Alloway seem'd in a bleeze;

Thro' ilka bore the beams were glancing;
And loud resounded mirth and dancing.
  Inspiring bold John Barleycorn!
What dangers thou canst make us scorn!
Wi' tippeny, we fear nae evil;
Wi' usquebae, we'll face the devil!
The swats sae ream'd in Tammie's noddle,
Fair play, he car'd na deils a boddle!
But Maggie stood right sair astonish'd,
Till, by the heel and hand admonish'd
She ventur'd forward on the light;
And, vow! Tam saw an unco sight!
  Warlocks and witches in a dance!
Nae cotillon brent new frae France,
But hornpipes, jigs, strathspeys, and reels,
Put life and mettle in their heels.
A winnock-bunker in the east,
There sat auld Nick in shape o' beast—
A touzie tyke, black, grim and large!
To gie them music was his charge:
He screw'd the pipes and gart them skirl,
Till roof and rafters a' did dirl.
Coffins stood round like open presses,
That shaw'd the dead in their last dresses;
And by some devilish cantraip sleight
Each in its cauld hand held a light,
By which heroic Tam was able
To note upon the haly table
A murderer's banes, in gibbet-airns;
Twa span-lang, wee, unchristen'd bairns;
A thief new-cutted frae the rape—
Wi' his last gasp his gab did gape;
Five tomahawks, wi' blude red rusted;
Five scymitars, wi' murder crusted;
A garter, which a babe had strangled;
A knife, a father's throat had mangled,

Whom his ain son o' life bereft—
The gray hairs yet stack to the heft;
Wi' mair of horrible and awfu',
Which even to name wad be unlawfu'.
  As Tammie glowr'd, amaz'd and curious,
The mirth and fun grew fast and furious:
The piper loud and louder blew;
The dancers quick and quicker flew;
They reel'd, they set, they cross'd, they cleekit,
Till ilka carlin swat and reekit,
And coost her duddies to the wark,
And linkit at it in her sark!
  Now Tam, O Tam! had thae been
    queans,
A' plump and strapping in their teens;
Their sarks, instead o' creeshie flannen,
Been snaw-white seventeen hunder linen!
Thir breeks o' mine, my only pair,
That ance were plush, o' gude blue hair,
I wad hae gi'en them off my hurdies,
For ae blink o' the bonnie burdies!
  But wither'd beldams, auld and droll,
Rigwoodie hags wad spean a foal,
Louping and flinging on a crummock,
I wonder didna turn thy stomach.
  But Tam kent what was what fu' brawlie,
There was ae winsome wench and walie
That night enlisted in the core,
Lang after kent on Carrick shore!
(For mony a beast to dead she shot,
And perish'd mony a bonnie boat,
And shook baith meikle corn and bear,
And kept the country-side in fear,)
Her cutty sark, o' Paisley harn,
That while a lassie she had worn,
In longitude tho' sorely scanty,
It was her best, and she was vauntie.

Ah! little kend thy reverend grannie,
That sark she coft for her wee Nannie,
Wi' twa pund Scots ('twas a' her riches),
Wad ever grac'd a dance of witches!
  But here my Muse her wing maun cour;
Sic flights are far beyond her pow'r;
To sing how Nannie lap and flang,
(A souple jade she was, and strang,)
And how Tam stood, like ane bewitch'd,
And thought his very een enrich'd;
Even Satan glowr'd, and fidg'd fu' fain,
And hotch'd and blew wi' might and main:
Till first ae caper, syne anither,
Tam tint his reason a' thegither,
And roars out, "Weel done, Cutty-sark!"
And in an instant all was dark:
And scarcely had he Maggie rallied,
When out the hellish legion sallied.
  As bees bizz out wi' angry fyke,
When plundering herds assail their byke;
As open pussie's mortal foes,
When, pop! she starts before their nose;
As eager runs the market-crowd,
When, "Catch the thief!" resounds aloud;
So Maggie runs, the witches follow,
Wi' monie an eldritch skreech and hollow.
  Ah, Tam! ah, Tam! thou'll get thy fairin'!
In hell they'll roast thee like a herrin'!
In vain thy Kate awaits thy comin'!
Kate soon will be a woefu' woman!
Now, do thy speedy utmost, Meg,
And win the key-stane of the brig:
There at them thou thy tail may toss,
A running stream they darena cross.
But ere the key-stane she could make,
The fient a tail she had to shake!

For Nannie, far before the rest,
Hard upon noble Maggie prest,
And flew at Tam wi' furious ettle ;
But little wist she Maggie's mettle !
Ae spring brought aff her master hale,
But left behind her ain grey tail :
The carlin claught her by the rump,
And left poor Maggie scarce a stump.
Now, wha this tale o' truth shall read,
Ilk man and mither's son tak heed ;
Whene'er to drink you are inclin'd,
Or cutty-sarks rin in your mind,
Think, ye may buy the joys o'er dear,
Remember Tam o' Shanter's mare.

TO A HAGGIS

FAIR fa' your honest, sonsie face,
Great chieftain o' the puddin'-race !
Aboon them a' ye tak your place,
Painch, tripe, or thairm :
Weel are ye wordy o' a grace
As lang's my arm.

The groaning trencher there ye fill,
Your hurdies like a distant hill,
Your pin wad help to mend a mill
In time o' need,
While thro' your pores the dews distil
Like amber bead.

His knife see rustic Labour dight,
An' cut you up wi' ready slight,
Trenching your gushing entrails bright
Like onie ditch ;

And then, O what a glorious sight,
Warm-reekin', rich!

Then, horn for horn, they stretch an' strive,
Deil tak the hindmost! on they drive,
Till a' their weel-swall'd kytes belyve
Are bent like drums;
Then auld guidman, maist like to rive,
"Be thankit!" hums.

Is there that o'er his French *ragout*,
Or *olio* wad staw a sow,
Or *fricassee* wad mak her spew
Wi' perfect sconner,
Looks down wi' sneering, scornfu' view
On sic a dinner!

Poor devil! see him owre his trash,
As feckless as a wither'd rash,
His spindle shank a guid whip-lash,
His nieve a nit:
Thro' bloody flood or field to dash,
O how unfit!

But mark the Rustic, haggis-fed,
The trembling earth resounds his tread,
Clap in his walie nieve a blade,
He'll mak it whissle;
An' legs, an' arms, an' heads will sned,
Like taps o' thrissle.

Ye Pow'rs, wha mak mankind your care,
And dish them out their bill o' fare,
Auld Scotland wants nae skinkin' ware
That jaups in luggies;
But, if ye wish her gratefu' prayer,
Gie her a Haggis!

MACPHERSON'S FAREWELL

FAREWELL, ye dungeons dark and strong,
The wretch's destinie :
MacPherson's time will not be long
On yonder gallows-tree.

Chorus—Sae rantingly, sae wantonly,
Sae dauntingly gaed he ;
He play'd a spring and danc'd it round,
Below the gallows-tree.

Oh, what is death but parting breath ?
On monie a bloody plain
I've dar'd his face, and in this place
I scorn him yet again !
Sae rantingly, etc.

Untie these bands from off my hands,
And bring to me my sword !
And there's no a man in all Scotland,
But I'll brave him at a word.
Sae rantingly, etc.

I've liv'd a life of sturt and strife ;
I die by treacherie :
It burns my heart I must depart
And not avengèd be.
Sae rantingly, etc.

Now farewell, light, thou sunshine bright,
And all beneath the sky !
May coward shame distain his name,
The wretch that dares not die !
Sae rantingly, etc.

Robert Burns

TO A MOUSE

Wee, sleekit, cow'rin, tim'rous beastie,
Oh, what a panic's in thy breastie!
Thou need na start awa sae hasty,
Wi' bickerin' brattle!
I wad be laith to rin an' chase thee,
Wi' murd'ring pattle!

I'm truly sorry man's dominion
Has broken nature's social union,
An' justifies that ill opinion
Which makes thee startle
At me, thy poor earth-born companion,
An' fellow-mortal!

I doubt na, whyles, but thou may thieve;
What then? poor beastie, thou maun live!
A daimen icker in a thrave
'S a sma' request:
I'll get a blessin' wi' the lave,
An' never miss't!

Thy wee bit housie, too, in ruin!
Its silly wa's the win's are strewin'!
An' naething, now, to big a new ane,
O' foggage green!
An' bleak December's winds ensuin',
Baith snell an' keen!

Thou saw the fields laid bare an' waste,
An' weary winter comin' fast,
An' cozie here, beneath the blast,
Thou thought to dwell,
Till crash! the cruel coulter past
Out thro' thy cell.

That wee bit heap o' leaves an' stibble
Has cost thee mony a weary nibble !
Now thou's turn'd out, for a' thy trouble,
But house or hald,
To thole the winter's sleety dribble,
An' cranreuch cauld !

But, Mousie, thou art no thy lane,
In proving foresight may be vain :
The best-laid schemes o' mice an' men,
Gang aft agley,
An' lea's us nought but grief an' pain
For promis'd joy !

Still thou art blest, compar'd wi' me !
The present only toucheth thee :
But, och ! I backward cast my e'e
On prospects drear !
An' forward, tho' I canna see,
I guess an' fear !

POOR MAILIE'S ELEGY

LAMENT in rhyme, lament in prose,
Wi' saut tears tricklin down your nose ;
Our Bardie's fate is at a close,
Past a' remead ;
The last, sad cape-stane of his woes ;
Poor Mailie's dead !

It's no the loss o' warl's gear,
That could sae bitter draw the tear,
Or mak our Bardie, dowie, wear
The mournin weed :
He's lost a friend and neebor dear,
In Mailie dead.

Thro' a' the toun she trotted by him;
A lang half-mile she could descry him;
Wi' kindly bleat, when she did spy him,
She ran wi' speed:
A friend mair faithfu' ne'er cam nigh him,
Than Mailie dead.

I wat she was a sheep o' sense,
An' could behave hersel wi' mense;
I'll say't, she never brak a fence,
Thro' thievish greed.
Our Bardie, lanely, keeps the spence
Sin' Mailie's dead.

Or, if he wanders up the howe,
Her livin image in her yowe
Comes bleatin to him, owre the knowe,
For bits o' bread;
An' down the briny pearls rowe
For Mailie dead.

She was nae get o' moorlan tips,
Wi' tawted ket, an' hairy hips;
For her forbears were brought in ships
Frae yont the Tweed:
A bonnier fleesh ne'er cross'd the clips
Than Mailie's, dead.

Wae worth the man wha first did shape
That vile, wanchancie thing—a rape!
It maks guid fellows girn an' gape,
Wi' chokin' dread;
An' Robin's bonnet wave wi' crape,
For Mailie dead.

O, a' ye Bards on bonnie Doon,
An' wha on Ayr your chanters tune,

Come, join the melancholious croon
O' Robin's reed!
His heart will never get aboon—
His Mailie's dead!

A WINTER NIGHT

When biting Boreas, fell and dour,
Sharp shivers thro' the leafless bow'r;
When Phœbus gies a short-liv'd glow'r,
Far south the lift,
Dim-dark'ning thro' the flaky show'r,
Or whirling drift:

Ae night the storm the steeples rocked,
Poor Labour sweet in sleep was locked,
While burns, wi' snawy wreaths up-choked,
Wild-eddying swirl,
Or thro' the mining outlet bocked,
Down headlong hurl.

List'ning, the doors an' winnocks rattle,
I thought me on the ourie cattle,
Or silly sheep, wha bide this brattle
O' winter war,
And thro' the drift, deep-lairing, sprattle,
Beneath a scaur.

Ilk happing bird, wee, helpless thing!
That, in the merry months o' spring,
Delighted me to hear thee sing,
What comes o' thee?
Whare wilt thou cow'r thy chittering wing
An' close thy e'e?

SOME MINOR POETS

THE MILLER

O MERRY may the maid be
  Who marries wi' the miller,
For foul day or fair day
  He's ay bringing till her;
Has ay a penny in his pouch,
  Has something het for supper,
Wi' beef and pease, and melting cheese,
  An' lumps o' yellow butter.

Behind the door stand bags o' meal,
  And in the ark is plenty;
And good hard cakes his mither bakes,
  And mony a sweeter denty,
A good fat sow, a sleeky cow,
  Are standing in the byre;
Whilst winking puss, wi' mealy mou',
  Is playing round the fire.

Good signs are these, my mither says,
  And bids me tak the miller;
A miller's wife's a merry wife,
  And he's ay bringing till her.
For meal or maut she'll never want
  Till wood and water's scanty;
As lang's there's cocks and cackling hens,
  She'll ay hae eggs in plenty.

In winter time, when wind and sleet
  Shake ha-house, barn and byre,

He sits aside a clean hearth stane,
Before a rousing fire ;
Ower foaming ale he tells his tale ;
And ay to show he's happy,
He claps his weans, and dawtes his wife
Wi' kisses warm and sappy.

SIR JOHN CLERK

CALLER HERRIN'

WHA'LL buy my caller herrin' ?
They're bonnie fish and halesome farin' ;
Wha'll buy my caller herrin',
New drawn frae the Forth ?

When ye were sleepin' on your pillows
Dream'd ye aught o' our puir fellows,
Darkling as they fac'd the billows,
A' to fill the woven willows ?
Buy my caller herrin',
New drawn frae the Forth.

Wha'll buy my caller herrin' ?
They're no brought here without brave darin' ;
Buy my caller herrin',
Haul'd thro' wind and rain.
Wha'll buy my caller herrin' ? etc.

Wha'll buy my caller herrin' ?
Oh, ye may ca' them vulgar farin'—
Wives and mithers, maist despairin',
Ca' them lives o' men.
Wha'll buy my caller herrin' ? etc.

When the creel o' herrin' passes
Ladies, clad in silks and laces,
Gather in their braw pelisses,
Cast their heads and screw their faces.
Wha'll buy my caller herrin' ? etc.

Caller herrin's no got lightlie :—
  Ye can trip the spring fu' tightlie ;
Spite o' tauntin', flauntin', flingin',
  Gow has set you a' a-singing
    Wha'll buy my caller herrin' ? etc.

Neebour wives, now tent my tellin' :
  When the bonnie fish ye're sellin',
At ae word be in your dealin'—
  Truth will stand when a' thing's failin',
    Wha'll buy my caller herrin' ?
      They're bonnie fish and halesome farin',
    Wha'll buy my caller herrin',
      New drawn frae the Forth ?

BARONESS NAIRNE

KILMENY

BONNIE Kilmeny gaed up the glen ;
But it wasna to meet Duneira's men,
Nor the rosy monk of the isle to see,
For Kilmeny was pure as pure could be.
It was only to hear the yorlin sing,
And pu' the cress-flower round the spring ;
The scarlet hypp and the hind-berrye,
And the nut that hung frae the hazel tree ;
For Kilmeny was pure as pure could be.
But lang may her minny look o'er the wa' ;
And lang may she seek i' the green-wood shaw ;
Lang the laird o' Duneira blame,
And lang, lang greet or Kilmeny come hame !

When many a day had come and fled,
When grief grew calm, and hope was dead,
When mess for Kilmeny's soul had been sung,
When the bedesman had pray'd and the dead-bell rung,

Late, late in a gloamin when all was still,
When the fringe was red on the westlin hill,
The wood was sere, the moon i' the wane,
The reek o' the cot hung ower the plain,
Like a little wee cloud in the world its lane;
When the ingle lowed wi' an eiry leme—
Late, late in the gloamin Kilmeny came hame!

Kilmeny, Kilmeny, where have you been?
Lang hae we sought baith holt and dean;
By linn, by ford, and green-wood tree,
Yet you are halesome and fair to see.
Where gat ye that joup o' the lily sheen?
That bonnie snood o' the birk sae green?
And these roses, the fairest that ever were seen?
Kilmeny, Kilmeny, where have you been?

Kilmeny look'd up wi' a lovely grace,
But nae smile was seen on Kilmeny's face;
As still was her look, and as still was her e'e,
As the stillness that lay on the emerant lea,
Or the mist that sleeps on a waveless sea.
For Kilmeny had been, she knew not where,
And Kilmeny had seen what she could not declare;
Kilmeny had been where the cock never crew,
Where the rain never fell, and the wind never blew.
But it seemed as the harp of the sky had rung,
And the airs of heaven played round her tongue,
When she spake of the lovely forms she had seen,
And a land where sin had never been;
A land of love and a land of light,
Withouten sun, or moon, or night;
Where the river swa'd a living stream,
And the light a pure celestial beam;
The land of vision, it would seem,
A still, an everlasting dream.

JAMES HOGG

PROUD MAISIE

PROUD Maisie is in the wood,
  Walking so early ;
Sweet Robin sits on the bush,
  Singing so rarely.

" Tell me, thou bonny bird,
  When shall I marry me ? "
" When six braw gentlemen
  Kirkward shall carry ye."

" Who makes the bridal bed,
  Birdie, say truly ? "
" The grey-headed sexton
  That delves the grave duly.

" The glow-worm o'er grave and stone
  Shall light thee steady.
The owl from the steeple sing
  ' Welcome proud lady.' "

SIR WALTER SCOTT

JOHN BUCHAN

HE's a douce-leukin' fair-spoken carle, John Buchan,
But nane i' the parish maun thraw wi' John Buchan ;
He has power o' the laird, o' the parson, an' people,
The keys o' the Kirk, an' the tow o' the steeple !

Do you want a new tack ? are ye ca'd to the session ?
Ha'e ye quarrel'd wi' neebours, and i' the transgression ?
Ha'e ye meetin' to haud i' the kirk or the clachan ?
Do ye want the bell rung ? ye maun speak to John
  Buchan !

There's weight in his word! do ye wonder what's
made it?
I'll tell ye that too, though it's nane to our credit;
He keeps the braw shop at the cross o' the clachan,
An' we're a' deep in debt to our merchant, John Buchan!

An' the fear, an' the terror o' poindin' an' hornin',
An' turnin' us out at the bauld beadle's warnin',
Without bield or bannock, wi' scarce rag or rauchan,
Mak's the haill parish wag at the wind o' John Buchan!

ALEXANDER LAING

ADAM GLEN

PAWKIE Adam Glen,
Piper o' the clachan,
When he stoitet ben,
Sairly was he pechan;
Spak' a wee, but tint his win',
Hurklit down, an' hostit syne,
Blew his beik, an' dictit's een,
An' whaisl't a' forfoughten.

But, his coughin' dune,
Cheerie kyth't the bodie,
Crackit like a gun,
An' leugh to Auntie Maidie;
Cried "My callans, name a spring,
'Jinglin' John,' or onything,
For weel I'd like to see the fling
O' ilka lass an' laddie."

Blythe the dancers flew,
Usquebae was plenty,
Blythe the piper blew,
Tho' shakin' han's wi' ninety.

Seven times his bridal vow
Ruthless fate had broken thro',
Wha wad thocht his comin' now
  Was for our maiden Auntie.

She had ne'er been sought,
  Cheerie hope was fadin',
Dowie is the thocht
  To live an' dee a maiden.
How it comes, we canna ken,
Wanters aye maun wait their ain,
Madge is hecht to Adam Glen,
  An' sune we'll ha'e a weddin'.

ALEXANDER LAING

HAP AND ROW THE FEETIE O'T

WE'LL hap and row, we'll hap and row,
  We'll hap and row the feetie o't.
It is a wee bit weary thing:
  I downa bide the greetie o't.
And we pat on the wee bit pan,
  To boil the lick o' meatie o't;
A cinder fell and spoil'd the plan,
  And burnt a' the feetie o't.

Fu' sair it grat, the puir wee brat,
  And aye it kicked the feetie o't,
Till, puir wee elf, it tired itself;
  And then began the sleepie o't.

The skirling brat nae parritch gat,
  When it gaed to the sleepie o't;
It's waesome true, instead o' t's mou',
  They're round about the feetie o't.

WILLIAM CREECH

THE FLOWERS OF THE FOREST

I'VE heard the lilting at our yowe-milking,
  Lasses a-lilting before the dawn o' day;
But now they are moaning in ilka green loaning:
  "The Flowers of the Forest are a' wede away."

At Buchts, in the morning, nae blythe lads are scorning;
  The lasses are lonely, and dowie, and wae;
Nae daffin', nae gabbin', but sighin' and sabbin':
  Ilk ane lifts her leglen, and hies her away.

In hairst, at the shearing, nae youths now are jeering,
  The bandsters are lyart, and runkled and grey;
At fair or at preaching, nae wooing, nae fleeching:
  "The Flowers of the Forest are a' wede away."

At e'en, in the gloaming, nae swankies are roaming
  'Bout stacks wi' the lasses at bogle to play,
But ilk ane sits drearie, lamenting her dearie:
  "The Flowers of the Forest are a' wede away."

Dule and wae for the order sent our lads to the Border;
  The English, for ance, by guile won the day;
The Flowers of the Forest, that foucht aye the foremost,
  The prime o' our land, are cauld in the clay.

We'll hear nae mair lilting at the yowe-milking,
  Women and bairns are heartless and wae;
Sighing and moaning on ilka green loaning;
  "The Flowers of the Forest are a' wede away."

JEAN ELLIOT

BRAID CLAITH

Ye wha are fain to hae your name
Wrote i' the bonnie book o' fame,
Let merit nae pretension claim
  To laurell'd wreath,
But hap ye weel, baith back and wame,
  In gude braid claith.

He that some ells o' this may fa',
And slae-black hat on pow like snaw,
Bids bauld to bear the gree awa,
  Wi' a' this graith.
When bienly clad wi' shell fu' braw
  O' gude braid claith.

Waesuck for him wha has nae feck o't!
For he's a gowk they're sure to geck at;
A chiel that ne'er will be respeckit
  While he draws breath,
Till his four quarters are bedeckit
  Wi' gude braid claith.

On Sabbath-days the barber spark,
When he has done wi' scrapin' wark,
Wi' siller broachie in his sark,
  Gangs trigly, faith!
Or to the Meadows, or the Park,
  In gude braid claith.

Weel might ye trow, to see them there,
That they to shave your haffits bare,
Or curl and sleek a pickle hair,
  Would be right laith,
When pacin' wi' a gawsy air
  In gude braid claith.

If ony mettled stirrah grien
For favour frae a lady's een,
He maunna care for bein' seen
  Before he sheath
His body in a scabbard clean
  O' gude braid claith.

For, gin he come wi' coat thread-bare,
A feg for him she winna care,
But crook her bonny mou fu' sair,
  And scauld him baith :
Wooers should aye their travel spare,
  Withoot braid claith.

Braid claith lends fouk an unco heeze ;
Maks mony kail-worms butterflees ;
Gies mony a doctor his degrees,
  For little skaith :
In short, you may be what you please,
  Wi' gude braid claith.

For tho' ye had as wise a snout on,
As Shakespeare or Sir Isaac Newton,
Your judgment fouk would hae a doubt on,
  I'll tak my aith,
Till they could see ye wi' a suit on
  O' gude braid claith.

ROBERT FERGUSSON

HAME CONTENT

Now when the dog-day heats begin
To birsle and to peel the skin,
May I lie streekit at my ease
Beneath the caller shady trees
(Far frae the din o' Borrowstoun),
Where water plays the haughs bedown ;

To jouk the simmer's rigour there,
And breathe a while the caller air,
'Mang herds, and honest cottar fouk,
That till the farm and feed the flock;
Careless o' mair, wha never fash
To lade their kists wi' useless cash,
But thank the gods for what they've sent
O' health enough, and blythe content,
And pith that helps them to stravaig
Ower ilka cleugh and ilka craig;
Unkenn'd to a' the weary granes
That aft arise frae gentler banes,
On easy chair that pamper'd lie,
Wi' baneful viands gustit high,
And turn and fauld their weary clay,
To rax and gaunt the live-lang day.

Robert Fergusson

O WEEL MAY THE BOATIE ROW

O weel may the boatie row,
And better may she speed!
And weel may the boatie row,
That wins the bairns' bread!
The boatie rows, the boatie rows,
The boatie rows indeed;
And happy be the lot of a'
That wishes her to speed!

I cuist my line in Largo Bay,
And fishes I caught nine;
There's three to boil, and three to fry,
And three to bait the line.
The boatie rows, the boatie rows,
The boatie rows indeed;
And happy be the lot of a'
That wishes her to speed!

O weel may the boatie row,
  That fills a heavy creel,
And cleads us a' frae head to feet,
  And buys our parritch meal.
The boatie rows, the boatie rows,
  The boatie rows indeed ;
And happy be the lot of a'
  That wish the boatie speed.

When Jamie vow'd he would be mine,
  And wan frae me my heart,
O muckle lighter grew my creel !
  He swore we'd never part.
The boatie rows, the boatie rows,
  The boatie rows fu' weel ;
And muckle lighter is the lade,
  When love bears up the creel.

My kurtch I put upon my head,
  An' dressed mysel' fu' braw ;
I trow my heart was dowf and wae
  When Jamie gaed awa'.
But weel may the boatie row,
  And lucky be her part ;
And lightsome be the lassie's care
  That yields an honest heart !

When Sawnie, Jock, and Janetie
  Are up and gotten lear,
They'll help to gar the boatie row,
  And lighten a' our care.
The boatie rows, the boatie rows,
  The boatie rows fu' weel ;
And lightsome be her heart that bears
  The murlain and the creel !

And when wi' age we're worn down,
  And hirpling round the door,
They'll row to keep us hale and warm,
  As we did them before.
Then weel may the boatie row,
  That wins the bairns' bread ;
And happy be the lot of a'
  That wish the boatie speed !

JOHN EWEN

THERE'S NAE LUCK ABOUT THE HOUSE

For there's nae luck about the house,
  There's nae luck at a' ;
There's little pleasure in the house,
  When our gudeman's awa'.

And are ye sure the news is true ?
  And are ye sure he's weel ?
Is this a time to think o' wark ?
  Ye jauds, fling bye your wheel.
Is this a time to think o' wark,
  When Colin's at the door ?
Rax me my cloak, I'll to the quay,
  And see him come ashore.

And gie to me my bigonnet,
  My bishop-satin gown,
For I maun tell the bailie's wife
  That Colin's come to town.
My Turkey slippers maun gae on,
  My hose o' pearl blue ;
'Tis a' to please my ain gudeman,
  For he's baith leal and true.

Rise up and mak' a clean fireside,
  Put on the muckle pat ;
Gie little Kate her cotton gown,
  And Jock his Sunday coat ;
And mak' their shoon as black as slaes,
  Their hose as white as snaw ;
It's a' to please my ain gudeman :
  He likes to see them braw.

There's twa fat hens upon the bauk,
  Been fed this month and mair ;
Mak' haste and thraw their necks about,
  That Colin weel may fare.
And spread the table neat and clean,
  Gar ilka thing look braw,
For wha can tell how Colin fared
  When he was far awa' ?

Sae true his heart, sae smooth his speech,
  His breath like caller air ;
His very fit has music in't
  As he comes up the stair.
And will I see his face again ?
  And will I hear him speak ?
I'm downright dizzy with the thought :
  In troth, I'm like to greet.

WILLIAM JULIUS MICKLE

UP IN THE AIR

Now the sun's gane out o' sight,
Beet the ingle, and snuff the light ;
In glens the fairies skip and dance,
And witches wallop o'er to France.

Up in the air
On my bonny grey mare,
And I see her yet, and I see her yet.
Up in, etc.

The wind's drifting hail and sna'
O'er frozen hags like a footba',
Nae starns keek thro' the azure slit,
'Tis cauld and mirk as ony pit.
The man i' the moon
Is carousing aboon,
D'ye see, d'ye see, d'ye see him yet?
The man, etc.

Take your glass to clear your een,
'Tis the elixir hales the spleen,
Baith wit and mirth it will inspire,
And gently puff the lover's fire.
Up in the air,
It drives away care;
Ha'e wi' ye, ha'e wi' ye, and ha'e wi' ye, lads, yet.
Up in, etc.

Steek the doors, keep out the frost,
Come, Willy, gi'e's about ye'r toast,
Tilt it, lads, and lilt it out,
And let us ha'e a blythsome bowt.
Up wi't there, there,
Dinna cheat, but drink fair;
Huzza! hussa! and huzza! lads, yet,
Up wi't, etc.

Allan Ramsay

MY PEGGY

My Peggy is a young thing,
Just enter'd in her teens,
Fair as the day and sweet as May,
Fair as the day and always gay.
My Peggy is a young thing,
And I'm nae very auld,
Yet weel I like to meet her at
The wauking o' the fauld.

My Peggy speaks sae sweetly
Whene'er we meet alane,
I wish nae mair to lay my care,
I wish nae mair o' a' that's rare.
My Peggy speaks sae sweetly,
To a' the lave I'm cauld,
But she gars a' my spirits glow
At wauking o' the fauld.

My Peggy smiles sae kindly
Whene'er I whisper love,
That I look doun on a' the toun,
That I look doun upon a croun.
My Peggy smiles sae kindly,
It mak's me blythe and bauld,
An' naething gies me sic delight,
As wauking o' the fauld.

My Peggy sings sae saftly
When on my pipe I play,
By a' the rest it is confest
By a' the rest that she sings best.

My Peggy sings sae saftly,
  And in her sangs are tauld
Wi' innocence the wale o' sense,
  At wauking o' the fauld.

ALLAN RAMSAY

MY JO JANET

SWEET sir, for your courtesie,
  When ye come by the Bass, then,
For the love ye bear to me,
  Buy me a keekin' glass, then.
Keek into the draw-well,
    Janet, Janet ;
There ye'll see your bonnie sell,
    My jo Janet.

Keekin' in the draw-well clear,
  What if I fa' in, sir ?
Syne a' my kin will say and swear
  I droun'd myself for sin, sir.
Haud the better by the brae,
    Janet, Janet ;
Haud the better by the brae,
    My jo Janet.

Gude sir, for your courtesie,
  Comin' through Aberdeen, then,
For the love ye bear to me,
  Buy me a pair o' sheen, then.
Clout the auld—the new are dear,
    Janet, Janet ;
A pair may hain ye hauf a year,
    My jo Janet.

But, if, dancin' on the green,
And skippin' like a maukin,
They should see my clouted sheen,
Of me they will be taukin'.
Dance aye laigh and late at e'en,
Janet, Janet;
Syne their fauts will no be seen,
My jo Janet.

Kind sir, for your courtesie,
When ye gae to the Cross, then,
For the love ye bear to me,
Buy me a pacin' horse, then.
Pace upon your spinnin' wheel,
Janet, Janet;
Pace upon your spinnin' wheel,
My jo Janet.

ANON.

THE WEE COOPER O' FIFE

THERE was a wee Cooper wha leeved in Fife.
Nickety, Nackety, noo, noo, noo,
And he has gotten a gentle wife,
Hey Willy Wallacky, hoo John Dougal,
Alane, quo' Rushity, roue, roue, roue.

She wadna bake, nor she wadna brew,
Nickety, etc.,
For the spoiling o' her comely hue,
Hey Willy, etc.

She wadna card, nor she wadna spin,
Nickety, etc.,
For the shamin' o' her gentle kin,
Hey Willy, etc.

She wadna wash, nor she wadna wring,
  Nickety, etc.,
For the spoiling o' her gowden ring,
  Hey Willy, etc.

The Cooper has gane to his woo' pack,
  Nickety, etc.,
And he's laid a sheep's skin on his wife's back,
  Hey Willy, etc.

" It's I'll no thrash ye for your gentle kin,"
  Nickety, etc.,
" But I will skelp my ain sheep's skin,"
  Hey Willy, etc.

" Oh I will bake and I will brew,"
  Nickety, etc.,
" And nae mair think o' my comely hue,"
  Hey Willy, etc.

" Oh I will card, and I will spin,"
  Nickety, etc.,
" And nae mair think o' my gentle kin,"
  Hey Willy, etc.

" Oh I will wash, and I will wring,"
  Nickety, etc.,
" And nae mair think o' my gowden ring,"
  Hey Willy, etc.

A' ye wha ha'e gotten a gentle wife,
  Nickety, etc.,
Just min' ye o' the wee Cooper o' Fife,
  Hey Willy, etc.

ANON.

BALLADS

THOMAS THE RHYMER

TRUE Thomas lay on Huntley bank;
A ferlie spied he wi' his ee;
And there he saw a lady bright
Come riding doun by the Eildon Tree.

Her skirt was o' the grass-green silk,
Her mantle o' the velvet fine;
At ilka tett o' her horse's mane,
Hung fifty siller bells and nine.

True Thomas he pu'd aff his cap,
And louted low doun on his knee:
" Hail to thee, Mary, Queen of Heaven!
For thy peer on earth could never be."

" O no, O no, Thomas," she said,
" That name does not belang to me;
I'm but the Queen o' fair Elfland,
That hither have come to visit thee.

" Harp and carp, Thomas," she said;
" Harp and carp along wi' me;
And if ye dare to kiss my lips,
Sure of your bodie I will be."

" Betide me weal, betide me woe,
That weird shall never daunten me."
Syne he has kiss'd her rosy lips,
All underneath the Eildon Tree.

"Now ye maun go wi' me," she said,
"True Thomas, ye maun go wi' me;
And ye maun serve me seven years,
Through weal or woe as may chance to be."

She's mounted on her milk-white steed,
She's ta'en True Thomas up behind;
And aye, whene'er her bridle rang,
The steed gaed swifter than the wind.

O they rade on, and farther on,
The steed gaed swifter than the wind;
Until they reach'd a desert wide,
And living land was left behind.

"Light doun, light doun now, True Thomas,"
  she said,
"And lean your head upon my knee;
Abide ye there a little space,
And I will show you ferlies three.

"O see ye not yon narrow road,
So thick beset wi' thorns and briars?
That is the Path of Righteousness,
Though after it but few enquires.

"And see ye not yon braid, braid road,
That lies across the lily leven?
That is the Path of Wickedness,
Though some call it the road to Heaven.

"And see ye not yon bonny road
That winds about the ferny brae?
That is the road to fair Elfland,
Where thou and I this night maun gae.

"But, Thomas, ye sall haud your tongue,
Whatever ye may hear or see;
For speak ye word in Elfyn-land,
Ye'll ne'er win back to your ain countrie."

O they rade on, and farther on,
And they waded rivers abune the knee;
And they saw neither sun nor moon,
But they heard the roaring of the sea.

It was mirk, mirk night, there was nae starlight,
They waded through red blude to the knee;
For a' the blude that's shed on the earth
Rins through the springs o' that countrie.

Syne they came to a garden green,
And she pu'd an apple frae a tree;
"Take this for thy wages, True Thomas,
It will give thee the tongue that can never lee."

"My tongue is my ain," True Thomas he said;
"A gudely gift ye wad gie to me!
I neither dought to buy or sell
At fair or tryst where I might be.

"I dought neither speak to prince or peer,
Nor ask of grace from fair ladye!"—
"Now haud they peace, Thomas," she said,
"For as I say, so must it be."

He has gotten a coat of the even cloth,
And a pair o' shoon of the velvet green;
And till seven years were gane and past,
True Thomas on earth was never seen.

THE DOWIE HOUMS OF YARROW

Late at een, drinkin' the wine,
And ere they paid the lawin',
They set a combat them between,
To fight it in the dawin'.

" O stay at hame, my noble lord !
O stay at hame, my marrow !
My cruel brother will you betray,
On the dowie houms o' Yarrow."

" O fare ye weel, my lady gay !
O fare ye weel, my Sarah !
For I maun gae, tho' I ne'er return
Frae the dowie banks o' Yarrow."

She kiss'd his cheek, she kamed his hair,
As she had done before, O ;
She belted on his noble brand,
An' he's awa to Yarrow.

O he's gane up yon high, high hill—
I wat he gaed wi' sorrow—
An' in a den spied nine arm'd men,
I' the dowie houms o' Yarrow.

" O are ye come to drink the wine,
As ye hae doon before, O ?
Or are ye come to wield the brand,
On the dowie houms o' Yarrow ? "

" I am no come to drink the wine,
As I hae done before, O,
But I am come to wield the brand,
On the dowie houms o' Yarrow."

Four he hurt, an' five he slew,
On the dowie houms o' Yarrow,
Till that stubborn knight came him behind,
An' ran his body thorrow.

" Gae hame, gae hame, good brother John,
An' tell your sister Sarah
To come an' lift her noble lord,
Who's sleeping sound on Yarrow."

" Yestreen I dream'd a dolefu' dream ;
I ken'd there wad be sorrow ;
I dream'd I pu'd the heather green,
On the dowie banks o' Yarrow."

She gaed up yon high, high hill—
I wat she gaed wi' sorrow—
An' in a den spied nine dead men,
On the dowie houms o' Yarrow.

She kiss'd his cheek, she kamed his hair,
As oft she did before, O ;
She drank the red blood frae him ran,
On the dowie houms o' Yarrow.

" O haud your tongue, my douchter dear,
For what needs a' this sorrow ?
I'll wed you on a better lord
Than him you lost on Yarrow."

" O haud your tongue, my father dear,
An' dinna grieve your Sarah ;
A better lord was never born
Than him I lost on Yarrow."

" Tak hame your ousen, tak hame your kye,
For they hae bred our sorrow ;
I wiss that they had a' gane mad
Whan they cam' first to Yarrow."

ANNAN WATER

Annan water's wading deep,
And my love Annie's wondrous bonny;
I will keep my tryst to-night,
Because I love her best of ony.

"Gar saddle me the bonny black,
Gar saddle sune, and make him ready;
For I will down the Gatehope-Slack,
And all to see my bonny ladye."

He has loupen on the bonny black,
He stirr'd him wi' the spur right sairly;
But, or he wan the Gatehope-Slack,
I think the steed was wae and weary.

He has loupen on the bonny grey,
He rade the right gate and the ready;
I trow he would neither stint nor stay,
For he was seeking his bonny ladye.

O he has ridden o'er field and fell,
Through muir and moss, and mony a mire;
His spurs o' steel were sair to bide,
And frae her fore-feet flew the fire.

"Now, bonny grey, now play your part!
Gin ye be the steed that wins my deary,
Wi' corn and hay ye'se be fed for aye,
And never spur sall make you wearie."

The grey was a mare, and a right good mare;
But when she wan the Annan water,
She couldna hae ridden a furlong mair,
Had a thousand merks been wadded at her.

"O boatman, boatman, put off your boat!
Put off your boat for gowden money!
I cross the drumly stream the night,
Or never mair I see my honey."

"O I was sworn sae late yestreen,
And not by ae aith, but by many;
And for a' the gowd in fair Scotland,
I dare na take ye through to Annie."

The side was stey, and the bottom deep,
Frae bank to brae the water pouring;
And the bonny grey mare did sweat for fear,
For she heard the water-kelpy roaring.

O he has pu'd aff his dapperpy coat,
The silver buttons glancèd bonny;
The waistcoat bursted aff his breast,
He was sae full of melancholy.

He has ta'en the ford at that stream tail;
I wot he swam both strong and steady,
But the stream was broad, and his strength did fail,
And he never saw his bonny ladye!

O wae betide the frush saugh wand!
And wae betide the bush of brier!
It brake into my true love's hand,
When his strength did fail, and his limbs did tire.

"And wae betide ye, Annan Water,
This night that ye are a drumlie river!
For over thee I'll build a bridge,
That ye never more true love may sever."

SIR PATRICK SPENS

THE king sits in Dunfermline toune,
  Drinking the blude-red wine:
" O whare will I get a skeely skipper
  To sail this ship o' mine?"

O up and spak an eldern knight
  Sat at the king's right knee:
" Sir Patrick Spens is the best sailor
  That ever sailed the sea."

Our king has written a braid letter
  And sealed it wi' his hand,
And sent it to Sir Patrick Spens,
  Was walking on the strand.

" To Noroway, to Noroway,
  To Noroway o'er the faem;
The king's daughter o' Noroway,
  'Tis thou maun bring her hame."

The first word that Sir Patrick read
  So loud, loud laugh'd he;
The neist word that Sir Patrick read
  The tear did blind his e'e.

O wha is this has done this deed
  And tauld the King o' me,
To send us out, at this time o' year,
  To sail upon the sea?

" Be it wind or weet, be it hail or sleet,
  Our ship must sail the faem;
The king's daughter o' Noroway,
  'Tis we must bring her hame."

They hoysed their sails on Monenday morn
Wi' a' the speed they may;
They hae landed safe in Noroway
Upon a Wodensday.

" Mak' ready, mak' ready, my merry men a' !
Our gude ship sails the morn."
" O ever alack ! my master dear,
I fear a deadly storm.

" I saw the new moon late yestreen,
Wi' the auld moon in her arm;
And if we gang to sea, master,
I fear we'll come to harm."

They hadna sail'd a league, a league,
A league but barely three,
When the lift grew dark and the wind blew loud,
And gurly grew the sea.

The ankers brak, and the topmast lap,
It was sic a deadly storm:
And the waves cam ower the broken ship
Till a' her sides were torn.

" O where will I get a gude sailor
To tak' my helm in hand,
Till I gae up to the tall topmast
To see gif I spy land ? "

" O here am I, a sailor gude,
To tak' the helm in hand,
Till you gae up to the tall topmast,—
But I fear you'll ne'er spy land."

He hadna gane a step, a step,
A step but barely ane,
When a bolt lap out o' our good ship,
And the saut sea it came in.

"Gae fetch a web o' the silken claith,
Anither o' the twine,
And wap them into our ship's side,
And letna the sea come in."

They fetched a web o' the silken claith,
Anither o' the twine,
And they wapped them into that gude ship's side,
But still the sea cam' in.

O laith, laith were our gude Scots lords
To weet their cork-heel'd shoon;
But lang ere a' the play was play'd
They wat their hats aboon.

And mony was the feather bed
That flotter'd on the faem;
And mony was the gude lord's son
That never mair cam' hame.

O lang, lang may the ladies sit
Wi' their fans into their hand,
Or ere they see Sir Patrick Spens
Come sailing to the land!

And lang, lang may the maidens sit
Wi' their goud kaims in their hair,
Awaiting for their ain dear loves,
For them they'll see nae mair.

Half ower, half ower to Aberdour,
It's fifty fathoms deep;
And there lies gude Sir Patrick Spens,
Wi' the Scots lords at his feet.

KINMONT WILLIE

O HAVE ye na heard o' the fause Sakelde?
O have ye na heard o' the keen Lord Scroope?
How they hae ta'en bauld Kinmont Willie,
On Haribee to hang him up?

Had Willie had but twenty men,
But twenty men as stout as he,
Fause Sakelde had never the Kinmont ta'en,
Wi' eight score in his companie.

They band his legs beneath the steed,
They tied his hands behind his back;
They guarded him, fivesome on each side,
And they brought him ower the Liddel-rack.

They led him thro' the Liddel-rack,
And also thro' the Carlisle sands;
They brought him in to Carlisle castle,
To be at my Lord Scroope's commands.

"My hands are tied, but my tongue is free,
And wha will dare this deed avow?
Or answer by the Border law?
Or answer to the bauld Buccleuch?"

"Now haud thy tongue, thou rank reiver!
There's never a Scot shall set thee free:
Before ye cross my castle yate,
I trow ye shall take farewell o' me."

"Fear na ye that, my Lord," quo' Willie:
"By the faith o' my body, Lord Scroope," he said,
"I never yet lodged in a hostelrie,
But I paid my lawing before I gaed!"

Now word is gane to the bauld Keeper,
In Branksome Ha' where that he lay,
That Lord Scroope has ta'en the Kinmont Willie,
Between the hours of night and day.

He has ta'en the table wi' his hand,
He garr'd the red wine spring on hie :
" Now a curse upon my head," he said,
" But avengèd of Lord Scroope I'll be."

" O is my basnet a widow's curch ?
Or my lance a wand of the willow-tree ?
Or my arm a ladye's lilye hand,
That an English lord should lightly me !

" And have they ta'en him, Kinmont Willie,
Against the truce of Border tide,
And forgotten that the bauld Buccleuch
Is keeper here on the Scottish side ?

" And have they e'en ta'en him, Kinmont Willie,
Withouten either dread or fear,
And forgotten that the bauld Buccleuch
Can back a steed, or shake a spear ?

" O were there war between the lands,
As well I wot that there is nane,
I would slight Carlisle castle high,
Though it were builded of marble stane.

" I would set that castle in a lowe,
And sloken it with English blood !
There's never a man in Cumberland
Should ken where Carlisle castle stood.

" But since nae war's between the lands,
And there is peace, and peace should be,
I'll neither harm English lad or lass,
And yet the Kinmont freed shall be ! "

He has call'd him forty Marchmen bauld,
I trow they were of his ain name,
Except Sir Gilbert Elliot, call'd
The Laird of Stobs, I mean the same.

He has call'd him forty Marchmen bauld,
Were kinsmen to the bauld Buccleuch;
With spur on heel, and splent on spauld,
And gluves of green, and feathers blue.

There were five and five before them a',
Wi' hunting-horns and bugles bright:
And five and five cam' wi' Buccleuch,
Like warden's men, array'd for fight.

And five and five, like a mason-gang,
That carried the ladders lang and hie;
And five and five, like broken men;
And so they reach'd the Woodhouselee.

And as we cross'd the 'Bateable Land,
When to the English side we held,
The first o' men that we met wi',
Whae sould it be but fause Sakelde?

"Where be ye gaun, ye hunters keen?"
Quo' fause Sakelde; "come tell to me!"
"We go to hunt an English stag,
Has trespass'd on the Scots countrie."

"Where be ye gaun, ye marshal-men?"
Quo' fause Sakelde; "come tell me true!"
"We go to catch a rank reiver,
Has broken faith wi' the bauld Buccleuch."

"Where are ye gaun, ye mason lads,
Wi' a' your ladders lang and hie?"
"We gang to herry a corbie's nest,
That wons not far frae Woodhouselee."

" Where be ye gaun, ye broken men ? "
Quo' fause Sakelde ; " come tell to me ! "
Now Dickie of Dryhope led that band,
And the nevir a word of lear had he.

" Why trespass ye on the English side ?
Row-footed outlaws, stand ! " quo' he ;
The nevir a word had Dickie to say,
Sae he thrust the lance through his fause bodie.

Then on we held for Carlisle toun,
And at Staneshaw-bank the Eden we cross'd ;
The water was great and meikle of spait,
But the never a horse nor man we lost.

And when we reach'd the Staneshaw-bank,
The wind was rising loud and hie ;
And there the Laird garr'd leave our steeds,
For fear that they should stamp and neigh.

And when we left the Staneshaw-bank,
The wind began full loud to blaw ;
But 'twas wind and weet, and fire and sleet,
When we came beneath the castle wa'.

We crept on knees, and held our breath,
Till we placed the ladders against the wa' ;
And sae ready was Buccleuch himsell
To mount the first before us a'.

He has ta'en the watchman by the throat,
He flung him down upon the lead ;
" Had there not been peace between our lands,
Upon the other side thou hadst gaed."

" Now sound out, trumpets ! " quo' Buccleuch ;
" Let's waken Lord Scroope right merrilie ! "
Then loud the warden's trumpets blew—
O whae dare meddle wi' me ?

Then speedilie to wark we gaed,
And raised the slogan ane and a',
And cut a hole through a sheet of lead,
And so we wan to the castle ha'.

They thought King James and a' his men
Had won the house wi' bow and spear;
It was but twenty Scots and ten,
That put a thousand in sic a stear!

Wi' coulters, and wi' forehammers,
We garr'd the bars bang merrilie,
Until we came to the inner prison,
Where Willie o' Kinmont he did lie.

And when we cam' to the lower prison,
Where Willie o' Kinmont he did lie—
"O sleep ye, wake ye, Kinmont Willie,
Upon the morn that thou's to die?"

"O I sleep saft, and I wake aft;
It's lang since sleeping was fley'd frae me;
Gie my service back to my wife and bairns,
And a' gude fellows that spier for me."

Then Red Rowan has hente him up,
The starkest man in Teviotdale—
"Abide, abide now, Red Rowan,
Till of my Lord Scroope I take farewell.

"Farewell, farewell, my gude Lord Scroope!
My gude Lord Scroope, farewell!" he cried;
"I'll pay you for my lodging maill,
When first we meet on the Border side."

Then shoulder high, with shout and cry,
We bore him down the ladder lang;
At every stride Red Rowan made,
I wot the Kinmont's airns play'd clang.

"O mony a time," quo' Kinmont Willie,
"I have ridden horse baith wild and wood;
But a rougher beast than Red Rowan
I ween my legs have ne'er bestrode.

"And mony a time," quo' Kinmont Willie,
"I've prick'd a horse out oure the furs;
But since the day I back'd a steed,
I never wore sic cumbrous spurs."

We scarce had won the Staneshaw-bank,
When a' the Carlisle bells were rung,
And a thousand men on horse and foot
Cam' wi' the keen Lord Scroope along.

Buccleuch has turn'd to Eden Water,
Even where it flow'd frae bank to brim,
And he has plunged in wi' a' his band,
And safely swam them through the stream.

He turn'd him on the other side,
And at Lord Scroope his glove flung he:
"If ye like na my visit in merry England,
In fair Scotland come visit me!"

All sore astonish'd stood Lord Scroope,
He stood as still as rock of stane;
He scarcely dared to trew his eyes,
When through the water they had gane.

"He is either himsell a devil frae hell,
Or else his mother a witch maun be;
I wadna have ridden that wan water
For a' the gowd in Christentie."

BONNIE GEORGE CAMPBELL

HIE upon Hielands
And laigh upon Tay,
Bonnie George Campbell
Rade out on a day.

He saddled, he bridled,
And gallant rade he ;
Hame cam his gude horse,
But never cam he !

Saddled and bridled
And booted rade he,
A plume in his helmet,
A sword at his knee.

But toom cam his saddle
All bluidy to see ;
Oh, hame cam his guid horse,
But never cam he.

ROBIN REDBREAST'S TESTAMENT

GUDE day, now, bonnie Robin,
How lang hae ye been here ?
I've been a bird about this bush
This mair than twenty year.

But now I am the sickest bird
That ever sat on brier ;
And I wad mak my testament,
Gudeman, if ye wad hear.

Gar tak this bonnie neb o' mine,
  That picks upon the corn ;
And gie't to the Duke o' Hamilton,
  To be a hunting-horn.

Gar tak thae bonnie feathers o' mine,
  The feathers o' my neb ;
And gie to the Lady Hamilton,
  To fill a feather bed.

Gar tak this gude right leg o' mine,
  And mend the brig o' Tay ;
It will be a post and pillar gude,
  It will neither bow nor gae.

And tak this other leg o' mine,
  And mend the brig of Weir ;
It will be a post and pillar gude,
  It will neither bow nor steer.

Gar tak thae bonnie feathers o' mine,
  The feathers o' my tail ;
And gie to the lads o' Hamilton
  To be a barn-flail.

And tak thae bonnie feathers o' mine,
  The feathers o' my briest ;
And gie them to the bonnie lad,
  Will bring to me a priest.

Now in there cam my Lady Wren,
  Wi' mony a sigh and groan,
O what care I for a' the lads,
  If my ain lad be gone !

Then Robin turn'd him round about,
  E'en like a little king ;
Gae pack ye out at my chamber-door,
  Ye little cutty-quean.

THE BONNY EARL OF MURRAY

YE Highlands and ye Lawlands,
  O ! where hae ye been ?
They hae slain the Earl of Murray,
  And hae laid him on the green.

Now wae be to thee, Huntly,
  And wherefore did ye sae ?
I bade you bring him wi' you,
  But forbade you him to slay.

He was a braw gallant,
  And he rade at the ring ;
And the bonny Earl of Murray,
  O ! he might hae been a king !

He was a braw gallant,
  And he play'd at the ba' ;
And the bonny Earl of Murray
  Was the flower amang them a'.

He was a braw gallant,
  And he play'd at the glove ;
And the bonny Earl of Murray,
  O ! he was the Queen's love !

O ! lang will his lady,
  Look ower the Castle Doune,
Ere she see the Earl of Murray
  Come soundin' thro' the toun !

DROWNED IN YARROW

Willy's rare, and Willy's fair,
  And Willy's wondrous bonny;
And Willy hecht to marry me
  Gin e'er he married ony.

Yestreen I made my bed fu' braid,
  This night I'll make it narrow;
For a' the live-lang winter night
  I lie twin'd of my marrow.

O came you by yon water-side,
  Pu'd you the rose or lily?
Or came you by yon meadow green?
  Or saw you my sweet Willy?

She sought him east, she sought him west,
  She sought him braid and narrow;
Syne in the cliftin' of a craig
  She found him droun'd in Yarrow.

THE TWA CORBIES

As I was walking all alane,
I heard twa corbies makin' a mane;
The tane unto the t'other say,
"Where sall we gang an' dine the day?"

"In ahint yon auld fail dyke,
I wot there lies a new-slain knight;
An' naebody kens that he lies there
But his hawk, his hound an' his lady fair.

"His hound is to the huntin' gane,
His hawk to fetch the wild fowl hame,
His lady's ta'en another mate,
Sae we may mak our denner sweet.

"Ye'll sit on his white hause-bane,
An' I'll pike oot his bonny blue een,
Wi' ae lock o' his gowden hair
We'll theek our nest when it grows bare.

"Mony a ane for him maks mane,
But nane sall ken where he is gane;
Ower his white banes when they are bare
The wind sall blaw for evermair."

HELEN OF KIRKCONNEL

I WISH I were where Helen lies;
Nicht and day on me she cries;
O, that I were where Helen lies,
  On fair Kirkconnel lee!
O, Helen fair, beyond compare,
I'll mak a garland o' thy hair,
Sall bind my heart for evermair,
  Until the day I dee.

O, think na ye my heart was sair,
When my love dropt and spak nae mair?
She sank and swoon'd wi' meikle care
  On fair Kirkconnel lee.
Curst be the heart that thocht the thocht,
An curst the hand that shot the shot,
When in my arms burd Helen dropt,
  An' died to succour me.

As I went down the water-side
Nane but my foe to be my guide,
Nane but my foe to be my guide,
  On fair Kirkconnel lee;
I lichtit doun, my sword did draw,
I hackit him in pieces sma',
I hackit him in pieces sma',
  For her sake that died for me.

O, that I were where Helen lies !
Nicht and day on me she cries,
Out of my bed she bids me rise.
    Says " Haste and come to me."
O, Helen fair ! O, Helen chaste !
If I were with thee I were blest,
Where thou lies low, an' takes thy rest,
    On fair Kirkconnel lee.

I wish my grave were growin' green,
A windin' sheet drawn ower my een,
An' I in Helen's arms lying,
    On fair Kirkconnel lee.
I wish I were where Helen lies ;
Nicht and day on me she cries ;
I'm sick of all beneath the skies
    Sin' my love died for me.

THE WIFE OF USHER'S WELL

There lived a wife at Usher's Well,
  And a wealthy wife was she ;
She had three stout and stalwart sons,
  And sent them ower the sea.

They hadna been a week from her,
  A week but barely ane,
When word cam to the carline wife
  That her three sons were gane.

They hadna been a week from her,
  A week but barely three,
When word cam to the carline wife
  That her sons she'd never see.

" I wish the wind may never cease,
  Nor fashes in the flood,
Till my three sons come hame to me,
  In earthly flesh and blood ! "

It fell about the Martinmas,
When nights are lang and mirk,
The carline wife's three sons cam hame,
And their hats were o' the birk.

It neither grew in syke nor ditch,
Nor yet in ony sheugh;
But at the gates o' Paradise,
That birk grew fair eneugh.

"Blow up the fire, my maidens!
Bring water from the well!
For a' my house shall feast this night,
Since my three sons are well."

And she has made to them a bed,
She's made it large and wide;
And she's ta'en her mantle her about,
Sat down at the bedside.

Up then crew the red, red cock,
And up and crew the gray;
The eldest to the youngest said,
"'Tis time we were away."

The cock he hadna craw'd but ance,
And clapped his wings at a',
When the youngest to the eldest said,
"Brother, we must awa'.

"The cock doth craw, the day doth daw,
The channerin' worm doth chide;
Gin we be missed out o' our place,
A sair pain we maun bide.

"Fare ye weel, my mother dear!
Farewell to barn and byre!
And fare ye weel, the bonnie lass
That kindles my mother's fire."

EARLY POETRY

ON THE DEATH OF ALEXANDER III

QUHEN Alysandyr our King was dede
That Scotland led in love and le,
Away was sons of ale and brede,
Of wyne and wax, of gamyn and gle.

Our guide was changyd into lede.
Christ, born into Virginite
Succour Scotland and remede
That stands in perplexite.

ANON.

FREDOME

A ! FREDOME is a noble thing !
Fredome maiss man to haif liking[1] :
Fredome all solace to man giffis :
He levis at ease that freely levis !
A noble hart may haif nane ease
Na ellis nocht[2] that may him please
Gif fredome failye ; for free liking
Is yearnit owre all othir thing.
Na he, that ay has levit free
May nocht knaw weil the propyrte
The anger, na the wrechit dome,
That is couplit to foul thyrldome,
Bot gif he had assayit it,
Than all perquer he suld it wit ;
And suld think fredome mar to prys[3]
Than all the gold in warld that is.

JOHN BARBOUR

[1] to haif liking, *to enjoy living.*
[2] na ellis nocht, *nor anything else.*
[3] mar to prys, *more to prize.*

WALLACE'S LAMENT FOR THE GRAHAM

WHEN they him fand, and gude Wallace him saw,
He lichtit doun, and hynt him fra them a'
In armis up ; behaldand his pale face,
He kissit him, and cry'd full oft ; "Alas !
My best brother in warld that ever I had !
My ae fald friend when I was hardest stad !
My hope, my heal, thou was in maist honour !
My faith, my help, strenthiest in stour !
In thee was wit, fredome, and hardiness ;
In thee was truth, manheid, and nobleness ;
In thee was rule, in thee was governance ;
In thee was virtue withouttin variance ;
In thee leaute, in thee was great largnas ;
In thee gentrice, in thee was stedfastnas.
Thou was great cause of winning of Scotland ;
Thoch I began, and tuk the weir on hand.
I vow to God, that has the warld in wauld,
Thy dede sall be to Sotheroun full dear sauld.
Martyr thou art for Scotlandis richt and me ;
I sall thee venge, or ellis therefore to die."

HENRY THE MINSTREL

THE COMPLEINT OF CRESSEID

THAT samin tyme of Troy the garnisoun,
  Quhilk had to chiftane worthie Troylus,
Throw jeopardie of weir had strikken doun
  Knichtis of Grece in number marvellous :
  With greit tryumphe and laude victorious
Agane to Troy richt royallie they raid,
The way quhair Cresseid with the lipper baid.

Seing that companie, thai come all with ane stevin ;
  Thay gaif ane cry, and schuik coppis gude speid ;
Said, " Worthie Lordis, for Goddis lufe of hevin,
  To us lipper part of your almous deid."
  Than to thair cry nobill Troylus tuik heid,
Having pietie, neir by the place can pas
Quhair Cresseid sat, not witting quhat scho was.

Than upon him scho kest up baith hir enc
  And with ane blenk it come into his thocht,
That he sum time hir face befoir has sene ;
  But scho was in sic plye he knew hir nocht ;
  Yit than hir luik into his mynd it brocht
The sweit visage and amorous blenking
Of fair Cressid, sumtyme his awin darling.

Na wonder was, suppois in mynd that he
  Tuik hir figure sa sone, and lo, now quhy ?
The idole of ane thing in case may be
  Sa deip imprentit in the fantasy,
  That it deludis the wittis outwardly,
And sa appeiris in forme and lyke estait
Within the mynd as it was figurait.

Ane spark of lufe than till his hart coud spring,
  And kendlit all his bodie in ane fyre,
With hait fevir ane sweit and trimbling
  Him tuik, quhill he was reddie to expyre ;
  To beir his scheild his breist began to tyre ;
Within ane quhyle he changit mony hew,
And, nevertheless, not ane ane-uther knew.

For knichtlie pietie and memoriall
  Of fair Cresseid, ane gyrdill can he tak,
Ane purs of gold, and mony gay jowall,
  And in the skirt of Cresseid doun can swak :
  Than raid away, and not ane word he spak,

Pensive in hart, quhill he come to the toun,
And for greit cair oft syis almaist fell doun.

The lipper-folk to Cresseid than can draw,
  To se the equall distribution
Of the almous ; bot quhen the gold they saw,
  Ilk ane to uther prevelie can roun,
  And said, " Yone Lord hes mair affection,
How-ever it be, unto yone Lazarous
Than to us all ; we knaw be his almous."

" Quhat Lord is yone," quod scho, " Have ye na feill,
  Hes done to us so greit humanitie ? "
" Yes," quod a lipper man, " I knaw him weill ;
  Schir Troylus it is, gentill and fre."
  Quhen Cresseid understude that it was he,
Stiffer than steill thair stert ane bitter stound
Throwout hir hart, and fell doun to the ground.

Quhen scho, ourcom with siching sair and sad,
  With mony cairfull cry and cald—" Ochane.
Now is my breist with stormie stoundis stad,
  Wrappit in wo, ane wretch full will of wane."
  Than swounit scho oft or scho culd refrane.
And ever in hir swouning cryit scho thus :
" O, fals Cresseid, and trew Knicht Troylus. . . ."

Sum said he maid ane tomb of merbell gray,
  And wrait hir name and superscriptioun,
And laid it on hir grave, quhair that scho lay,
  In goldin letteris, conteining this ressoun :
  " Lo, ladyis fair, Cresseid of Troyis toun,
Sumtyme countit the flour of womanheid,
Under this stane, lait Lipper, lyis deid."

ROBERT HENRYSON

THE TAILL OF THE UPONLANDIS MOUS AND THE BURGES MOUS

Esope, my author, makis mentioun
Of twa myis, and thay wer sisteris deir,
Of quhome the eldest duelt in ane borous toun,
The uther wynnit uponland, weill neir,
Soliter, quhile under busk, quhile under breir,
Quhilis in the corne, and uther mennis skaith,
As outlawis dois and levis on thair waith.

This rurall mous into the winter tyde
Had hunger, cauld, and tholit gret distres.
The uther mous that in the burgh can byde
Was gild brother and maid ane fre burgess;
Toll fre also, but custum mair or les,
And fredome had to ga quhair ever scho list,
Amang the cheis in ark, and meill in kist.

Ane tyme quhen scho was full and unfutesair,
Scho tuik in mynde hir sister uponland,
And langit for to heir of hir weilfair,
To se quhat lyfe scho led under the wand:
Bairfute, allone, with pykestalf in hir hand,
As pure pilgryme scho passit out of toun,
To seik hir sister baith our daill and doun.

Furth mony wilsum wayis can scho walk,
Throw moss and mure, throw bankis, busk, and breir,
Scho ran cryand, quhill scho come to ane balk:
" Cum furth to me, my awin sister deir;
Cry peip anis ! " With that the mousse culd heir,
And knew hir voce, as kynnisman will do,
Be verray kynd; and furth scho come hir to.

The hartlie joy, Lord God! gif ye had sene,
Was kythit quhen that thir twa sisteris met;
And gret kyndnes was schawin thame betuene,
For quhillis thay leuch, and quhillis for joy thay gret,
Quhile kissit sweit, quhillis in armes plet;
And thus thay fure, quhill soberit was thair mude,
Syne fute for fute unto the chalmer yude.

As I hard say, it was ane sober wane,
Of fog and fairne full febilie was maid,
Ane sillie scheill under ane steidfast stane,
Of quhilk the entres was not hie nor braid;
And in the samyn thay went but mair abaid,
Withoutin fire or candill birnand bricht,
For commonlie sic pykeris luifes nocht licht.

Quhen thay war lugeit thus, thir sillie myis,
The youngest sister in to hir butterie glide,
And brocht furth nuttis and candill in steid of spyce;
Gif this was gude fair, I do it on thame beside.
The burges mous prompit furth in pride,
And said, "Sister, is this your daylie fude?"
"Quhy not," quod scho, "is not this meit richt gude?"

"Na, be my saule, I think it bot ane scorne."
"Madame," quod scho, "ye be the mair to blame.
My mother said, sister, quhen we war borne,
That I and ye lay baith within ane wame:
I keip the rait and custome of my dame,
And of my leving in to povertie,
For landis haif we nane in propertie."

"My fair sister," quod scho, "haif me excusit,
This rude dyat and I can not accord;
To tender meit my stomok is ay usit,
For quhilis I fair als weill as ony lord;
Thir widderit peis and nuttis, or thay be bord,

Will brek my teith, and mak my wame full sklender,
Quhilk was befoir usit to meitis tender."

" Weill, weill, sister," quod the rurale mous,
" Gif it pleis yow, sic thing as ye se heir,
Baith meit and drink, herberie and hous,
Sall be your awin, will ye remane all yeir ;
Ye sall it haif with blith and mery cheir,
And that sould mak the maissis that ar rude,
Amang friendis, richt tender and wonder gude.

" Quhat plesure is in feistis delicate,
The quhilk ar gevin with ane glowmand brow ?
Ane gentill hart is better recreate
With blith courage, than seith to him ane kow :
Ane modicum is mair for till allow,
Sua that gude will be carver at the dais,
Than thrawin vult and mony spycit mais."

For all hir merie exhortatioun,
This burges mous had litill will to sing,
Bot hevilie scho kest hir browis doun,
For all the daynteis that scho culd hir bring.
Yit at the last scho said, half in hething,
" Sister, this victuall and your royell feist
May weill suffice unto ane rurall beist.

" Let be this hole, and cum unto my place,
I sall to yow schaw be experience
My Gude Fryday is better nor your Pace ;
My dische-likkingis is wirth your haill expence.
I haif housis anew of grit defence ;
Of cat nor fall nor trap I haif na dreid."
" I grant," quod scho ; and on togidder yeid.

In †stubbill array throw rankest gres and corne,
And under bushis, previlie culd thay creip.

The eldest was the gide and went beforne,
The younger to hir wayis tuik gude keip.
On nycht thay ran, and on the day can sleip;
Quhill in the morning, or the laverok sang,
Thay fand the toun, and in blithlie culd gang.

Not fer fra thine unto ane wirthie wane
This burges brocht thame sone quhair thay suld be;
Without God speid thair herberie was tane
Into ane spence with victuell grit plentie;
Baith cheis and butter upoun thair skelfis hie,
And flesche and fische aneuch, baith fresche and salt,
And sekkis full of meill and eik of malt.

Efter quhen thay disposit war to dyne,
Withoutin grace thay wesche and went to meit,
With all coursis that cuikis culd defyne,
Muttoun and beif strukkin in tailyeis greit;
Ane lordis fair thus culd thay counterfeit,
Except ane thing, thay drank the watter cleir
In steid of wyne, bot yit thay maid gude cheir.

With blith upcast and merie countenance,
The eldest sister sperit at hir gest,
Gif that scho be ressone fand differrence
Betuix that chalmer and hir sarie nest.
"Yea dame," quod scho, "bot how lang will this lest?"
"For evermair, I wait, and langer to."
"Gif it be swa, ye ar at eis," quod scho.

Till eik thair cheir ane subcharge furth scho brocht,
Ane plait of grottis, and ane dische full of meill;
Thraf caikis als I trow scho spairit nocht,
Aboundantlie about hir for to deill;
And man fulle fyne scho brocht in steid of geill,
And ane quhite candill out of ane coffer stall,
In steid of spyce to gust thair mouth withall.

Thus maid thay merie quhill thay mycht na mair,
And, " haill, yuill, haill ! " thay cryit upone hie.
Yit efter joy oftymes cumis cair,
And troubill efter grit prosperitie.
Thus as thay sat in all thair jolitie,
The spensar come with keyis in his hand,
Oppynnit the dur, and thame at denner fand.

Thay taryit nocht to wasche, as I suppois,
Bot on to ga quha that mycht formest win.
The burges had ane hoill, and in scho gois ;
Hir sister had na hoill to hide hir in ;
To se that selie mous it was grit sin,
So desolate and will of ane gude reid ;
For verray dreid scho fell in swoun neir deid.

Bot, as God wald, it fell ane happie cace ;
The spensar had na laser for to bide,
Nouther to seik nor serche, to skar nor chace,
Bot on he went, and left the dur up wyde.
The bald burges his passing weill hes spyde ;
Out of hir hoill scho come and cryit on hie,
" How fair ye, sister ? cry peip, quhair ever ye be ? "

This rurall mous lay flatling on the ground,
And for the deith scho was full sair dreidand,
For till hir hart straik mony wofull stound,
As in ane fever scho trimblit fute and hand ;
And quhen hir sister in sic ply hir fand,
For verray pietie scho began to greit,
Syne confort hir with wordis hunny sweit.

" Quhy ly ye thus ? ryse up, my sister deir,
Cum to your meit, this perrell is over past."
The uther answerit hir with hevie cheir,
" I may not eit, sa sair I am agast ;
I had lever thir fourtie dayis fast,

With watter caill, and to gnaw benis and peis,
Than all your feist in this dreid and diseis."

With fair tretie yit scho gart hir upryse,
And to the burde thay baith to gidder sat;
And skantlie had thay drunkin anis or twyse,
Quhen in come Gib-Hunter, our jolie cat,
And bad God speid: the burges up with that,
And till hir hoill scho went as fyre on flint:
Bawdronis the uther be the bak hes hint.

Fra fute to fute he kest hir to and fra,
Quhilis up, quhilis doun, als cant as ony kid;
Quhilis wald he lat hir rin under the stra,
Quhilis wald he wink, and play with hir bukhid.
Thus to the selie mous grit pane he did,
Quhill at the last, throw fortoun and gude hap,
Betuix the dorsour and the wall scho crap.

And up in haist behind the parraling
Scho clam sa hie, that Gilbert mycht not get hir,
Syne be the cluke thair craftelie can hing,
Till he was gane, hir cheir was all the better.
Syne doun scho lap quhen thair was nane to
let hir,
And to the burges mous loud can scho cry:
"Fairweill, sister, thy feist heir I defy!

"Thy mangerie is mingit all with cair,
Thy guse is gude, thy gansell sour as gall;
The subcharge of thy service is bot sair,
Sa sall thow find heirefterwart may fall.
I thank yone courtyne and yone perpall wall
Of my defence now fra yone crewell beist.
Almychtie God, keip me fra sic ane feist!

"Wer I in to the kith that I come fra,
For weill nor wa suld I never cum agane."
With that scho tuik hir leve and furth can ga,
Quhilis throw the corne, and quhilis throw the plane;
Quhen scho was furth and fre, scho was full fane,
And merilie merkit unto the mure:
I can not tell how efterwart scho fure.

Bot I hard say scho passit to hir den,
Als warme als woll, suppois it was not greit,
Full benelie stuffit, baith but and ben,
Of peiss, and nuttis, beinis, ry, and quheit;
Quhen ever scho list, scho had aneuch to eit,
In quiet and eis, withouttin ony dreid;
Bot to hir sisteris feist na mair scho yeid.

ROBERT HENRYSON

GOOD COUNSEL

SEN throw virtue increases dignitie,
And virtue flour and root is of noblay,
Of ony weal or what estate thou be,
His steppis sue, and dreid thee non effray:
Exile all vice, and follow truth alway:
Lufe maist thy God, that first thy lufe began,
And for ilk inch He will thee quite a span.

Be not owre proud in thy prosperitie,
For as it comis, so will it pass away:
Thy time to compt is short, thou may weil see,
For of green gress sune comis wallowit hay.
Labour in truth, while licht is of the day,
Trust maist in God, for He best guide thee can,
And for ilk inch He will thee quite a span.

Sen word is thrall, and thocht is only free,
  Thou dant thy tongue, that power has and may;
Thou steek thine een fra warldis vanitie;
  Refrain thy lust, and hearken what I say;
  Graip or thou slide, and creep furth on the way;
Keep thy behest unto thy God and man,
And for ilk inch He will thee quite a span.

KING JAMES I OF SCOTLAND

LAMENT FOR THE MAKARS

I THAT in heill was and gladnèss
Am trublit now with great sickness
And feblit with infirmitie :—
    Timor Mortis conturbat me.

Our plesance here is all vain glory,
This fals world is but transitory,
The flesh is bruckle, the Feynd is slee :—
    Timor Mortis conturbat me.

The state of man does change and vary,
Now sound, now sick, now blyth, now sary,
Now dansand mirry, now like to die :—
    Timor Mortis conturbat me.

No state in Erd here standis sicker;
As with the wynd wavis the wicker
So wannis this world's vanitie :—
    Timor Mortis conturbat me.

Unto the Death gois all Estatis,
Princis, Prelatis, and Potestatis,
Baith rich and poor of all degree :—
    Timor Mortis conturbat me.

He takis the knichtis in to the field
Enarmit under helm and scheild ;
Victor he is at all mellie :—
    Timor Mortis conturbat me.

That strong unmerciful tyrand
Takis, on the motheris breast sowkand,
The babe full of benignitie :—
    Timor Mortis conturbat me.

He takis the campion in the stour,
The captain closit in the tour,
The lady in bour full of bewtie :—
    Timor Mortis conturbat me.

WILLIAM DUNBAR

ANE SANG OF THE BIRTH OF CHRIST

(*From the German of Luther*)

I COME from Heaven to tell
The best nowellis that ever befell ;
To you this tidings true I bring,
And I will of them say and sing.

This day to you is born ane Childe
Of Marie meek and Virgin mild,
That blissit Bairne, bining and kynde,
Shall you rejoice baith heart and mynd.

My saul and lyfe, stand up and see
Who lyes in ane crib of tree,
What Babe is that, so gude and fair ?
It is Christ, God's son and heir.

O, God! that made all creäture,
How art thow become so pure,
That on the hay and straw will lye,
Amang the asses, oxen and kye?

And were the world ten times so wide
Clad ower with gold and stones of pride,
Unworthy yet it were to thee
Under thy feet a stool to be.

O, my dear heart, young Jesus sweit,
Prepare thy cradle in my spreit,
And I shall rock thee in my hert,
And never mair from thee depart.

But I shall praise thee ever moir,
With sangs sweet unto thy gloir,
The knees of my heart shall I bow,
And sing that right Balulalow.

Gloir be to God eternally,
Who gave his only Son for me,
To come and save me from distress,
How can I thank his gentlenesse?

ANON.

AGANIS THE THIEVIS OF LIDDISDALE

OF Liddisdale the common theifis,
Sa pertlie stealis now and reifis,
That nane may keep
Hose, nolt, nor sheep,
Nor yit dar sleep
For their mischiefis.

They plainlie throu the countrie ridis ;
I trow the meikle devil them guidis ;
Where they onset
Ay in their gate
There is na yett
Nor door them bidis.

They leif richt nocht ; wherever they gae
There can na thing be hid them frae ;
For, gif men wald
Their house hald,
Than wax they bauld
To burn and slay.

Thae thiefis have nearhand herrcit haill
Ettrick Forest and Lauderdale ;
Now are they gane
In Lothiane,
And sparis nane
That they will wale.

Thae landis are with stouth sa socht,
To extreme povertie are brocht ;
Thae wicked shrewis
Has laid the plowis,
That nane or few is
That are left oucht.

By common taking of black-mail,
They that had flesh and bread and ale,
Now are sa wraikit,
Made puir and nakit,
Fain to be slaikit
With water-kail.

Thae theifis that stealis and tursis hame,
Ilk ane of them has ane to-name;
Will of the Lawis,
Hab of the Shawis;
To mak bare wa' is.
They think na shame.

They spuilye puir men of their packis;
They leif them nocht on bed nor backis;
Baith hen and cock,
With reel and rock,
The Lairdis Jock
All with him takis.

They leif not spindle, spoon, nor spit,
Bed, bowster, blanket, serk, nor sheet;
John of the Park
Ripes kist and ark;
For all sic wark
He is richt meet.

He is weil kend, John of the Side;
A greater theif did never ride;
He never tires
For to break byres;
Ower muir and mires
Ower gude ane guide.

There is ane, callit Clement's Hob,
Fra ilk puir wife reifis her wob,
And all the laif,
Whatever they haif:
The devil resaif
Therefor his gob.

To sic great stouth wha e'er wald trow it,
But gif some great man it allowit?

Richt sair I rue,
Thoch it be true,
There is sa few
That dar avow it.

Of some great men they have sic gate ;
That ready are them to debate
And will up-wear
Their stolen gear
That nane dar steir
Them, air not late.

What causes thiefis us our-gang
Bot want of justice us amang ?
Nane takis care
Thoch all forfare :
Na man will spare
Now to do wrang.

Of stouth thoch now they come gude speed
That neither of men nor God has dreid,
Yit, or I die,
Some sall them see
Hing on a tree
Whill they be deid.

SIR RICHARD MAITLAND

ADVICE TO LEESOME MERRINESS

WHEN I have done consider
This warldis vanitie,
Sa brukil and sa slidder,
Sa full of miserie ;
Then I remember me
That here there is no rest ;
Therefore apparentlie
To be merrie is best.

Let us be blyth and glad,
My friendis all, I pray.
To be pensive and sad
Na-thing it help us may.
Therefore put quite away
All heaviness of thocht :
Thoch we murne nicht and day
It will avail us nocht.

SIR RICHARD MAITLAND

OF THE DAY ESTIVALL

O PERFITE Light, whilk shed away
The darkness from the light,
And set a ruler owre the day,
Ane other owre the night—

Thy glory when the day foorth flies,
Mair vively does appear,
Nor at midday unto our eyes
The shining sun is clear.

The shadow of the earth anon
Removes and drawes by ;
Syne in the East, when it is gone,
Appears a clearer sky :

Whilk sune perceives the little larks,
The lapwing and the snipe,
And tunes their sangs like Nature's clerks,
Owre meadow, muir, and stryp. . . .

Our hemisphere is poleist clean
And lightened more and more,
Whill every thing be clearly seen,
Whilk seemèd dim before :

Except the glistering astres bright,
Which all the night were clear,
Offuskèd with a greater light,
Na langer does appear.

The golden globe incontinent
Sets up his shining head,
And owre the earth and firmament
Displays his beams abread.

For joy the birds with boulden throats,
Aganis his visage sheen,
Takes up their kindly music notes
In woods and gardens green.

Up braids the careful husbandman,
His corn and vines to see ;
And every timous artisan
In buith works busily.

The pastor quits the slothful sleep
And passes foorth with speed,
His little camow-nosèd sheep
And rowting kye to feed.

The passenger from perils sure
Gangs gladly foorth the way :
Brief, every living creature
Takes comfort of the day. . . .

The dew upon the tender crops,
Like pearls white and round,
Or like to melted silver drops,
Refreshes all the ground.

The misty rock, the clouds of rain
From tops of mountains skails,
Clear are the highest hills and plain,
The vapours takes the vales. . . .

The ample heaven of fabric sure
In cleanness does surpass
The crystal and the silver pure,
Or clearest poleist glass.

The time sa tranquil is and still,
That na where sall ye find—
Saif on ane high and barren hill—
Ane air of piping wind.

All trees and simples great and small,
That balmy leaf do bear,
Nor they were painted on a wall
Na mair they move or steir.

Calm is the deep and purpour sea,
Yea, smoother nor the sand ;
The wawis that welt'ring wont to be,
Are stable like the land.

Sa silent is the cessile air,—
That every cry and call,
The hills, and dales, and forest fair
Again repeats them all.

The rivers fresh, the caller streams
Owre rocks can softly rin,
The water clear like crystal seems,
And makes a pleasant din. . . .

The flourishes and fragrant flowers,
Throw Phœbus' fost'ring heat,
Refresh'd with dew and silver showers
Casts up ane odour sweet.

The cloggèd, busy humming bees,
That never thinks to drown,
On flowers and flourishes of trees,
Collects their liquor brown.

The sun maist like a speedy post,
With ardent course ascends,
The beauty of the heavenly host
Up to our zenith tends. . . .

The burning beams down from his face
Sa fervently can beat,
That man and beast now seeks a place
To save them fra the heat. . . .

The brethles flocks draws to the shade
And frechure of their fald ;
The startling nolt as they were mad
Runs to the rivers cauld.

The dow with whistling wings sa blue,
The winds can fast collect,
His purpour pennes turns mony hue
Against the sun direct.

Now noon is went, gane is midday,
The heat does slake at last,
The sun descends down west away,
Fra three of clock be past. . . .

The rayons of the sun we see
Diminish in their strength,
The shade of every tower and tree
Extended is in length.

Great is the calm, for every where
The wind is sitten down ;
The reek thraws right up in the air
From every tower and town. . . .

The mavis and the philemone
The stirling whistles loud,
The cushats on the branches green
Full quietly they crowd.

The gloaming comes, the day is spent,
The sun goes out of sight,
And painted is the occident
With purpour sanguine bright. . . .

Our west horizon circular,
Fra time the sun be set,
Is all with rubies (as it were)
Or roses reid ourfret.

What pleasure were to walk and see,
Endlang a river clear
The perfite form of every tree
Within the deep appear. . . .

O, then it were a seemly thing,
While all is still and calm,
The praise of God to play and sing
With cornet and with shalm ! . . .

All labourers draw hame at even,
And can till other say,
Thanks to the gracious God of Heaven,
Whilk sent this summer day.

ALEXANDER HUME

SONG AT SUNRISE

HAY ! now the day dawis,
The jolly cock crawis,
Now shroudis the shawis
Throw Nature anon.
The throstle-cock cryis
On lovers wha lyis ;
Now skaillis the skyis :
The night is near gone.

The fieldis ourflowis
With gowans that growis
Where lilies like lowe is,
    As read as the ro'an.
The turtle that true is,
With notes that renewis,
Her pairtie pursueis :
    The night is near gone.

Now hartis with hindis,
Conform to their kindis,
Hie tursis their tyndis,
    On grund where they groan.
Now hurchonis, with haris,
Ay passes in pairis ;
Whilk duly declaris
    The night is near gone.

The season excellis
Through sweetness that smellis ;
Now Cupid compellis
    Our hairtis each one
On Venus wha wakis,
To muse on our makis,
Syne sing, for their sakis :
    " The night is near gone."

All courageous knichtis
Aganis the day dichtis
The breist-plate that bricht is,
    To fecht with their fone.
The stonèd steed stampis
Through courage and crampis,
Syne on the land lampis :
    The night is near gone.

The freikis on fieldis
That wight wapins wieldis
With shining bright shieldis
    As Titan in trone;
Stiff spearis in restis,
Owre courseris crestis,
Are broke on their breistis:
    The night is near gone.

So hard are their hittis,
Some swayis, some sittis,
And some perforce flittis
    On grund whill they groan.
Syne groomis that gay is,
On blonkis that brayis,
With swordis assayis:
    The night is near gone.

ALEXANDER MONTGOMERIE

THE TWENTY-THIRD PSCHALME

THE Lord maist hie
I know will be
Ane herd to me;
I cannot lang have stress, nor stand in neid,
He makes my lair
In fields maist fair,
Quhair I bot care,
Reposing at my pleasure, safely feid.
He sweetly me convoys
  To pleasant springs
Quhair naething me annoys
  But pleasure brings.
He brings my mynd
Fit to sic kynd,
That fors, or fears of foe cannot me grieve,

He does me leid
In perfect freid,
And for his name he never will me lieve.
Thoch I wald stray,
Ilk day by day,
In deidly way,
Yet will I not dispair ; I fear none ill,
For quhy ? thy grace
In every place,
Does me embrace,
Thy rod and shepherd's crook conforts me still.
In spite of foes
My tabil grows
Thou balmes my head with joy ;
My cup owerflows.
Kyndness and grace,
Mercy and peice,
Sall follow me for all my wretched days,
And me convoy,
To endless joy,
In heaven quhair I sall be with thee always.

ALEXANDER MONTGOMERIE

DUNNOTTAR

DUNNOTTAR standin' by the sea
Lairdless sall they lands be,
And underneath thy hearthstane
The tod sall bring her brood hame.

THOMAS THE RHYMER

GLOSSARY

a', *all*
aboon, abune, *above, over*
ae, *a, one*
aglee, agley, *sideways, astray*
ahint, *behind*
ain, *own*
aince, *once*
airm, *arm*
airn, *iron*
airt, *direction*
airtit, *directed*
aiss, *ashes*
aith, *oath*
ajee, *off the straight*
alane, *alone*
alang, *along*
alaw, *below*
almous, *alms*
amang, *among*
ance, *once*
ane, *one*
anis, *once*
anither, *another*
antrin, *stray*
arnut, *earthnut*
aside, *beside*
astres, *stars*
athort, *athwart*
attour, *over and above, over there*
atweel, *I know well*
atween, *between*
aught, *possession*
aul', auld, *old*
ava, *at all*

bairn, *child*
baith, *both*
bandster, *binder of sheaves*
bane, *bone*
barken'd, *tanned*
bauk, *strip of untilled land at edge of corn-field*
bauld, *bold*
bear, *kind of barley*
beet, *make up*
beik, *bask*
belyve, *by and by*
ben, *into the parlour*
benelie, *comfortable*
beuk, *book*
beuk-taking, *book-worship*
bewast, *west of*
bicker, *a drinking-cup*
bickerin, *running noisily*
bide, *wait, dwell*
bield, *shelter*
bien, *comfortable*
biengin, *swarming*
big, *build*
biggit, *built*
bigonnet, *coif*
bill, *bull*
billie, *brother, companion*
birk, *birch*
birn, *burden*
birsle, *scorch*
blab, *drop*
blate, *shy*
blaw, *blow*
bled, *blade*
blellum, *idle fellow*
bletherin', *talking foolishly*
blitter, *snipe*
blonkis, *horses*
blude, bluid(y), *blood, blood(y)*

bocht, *bought*
bocked, *vomited*
boddle, *farthing*
boor-tree, *elder-berry*
bore, *crack*
bousin', *drinking*
braid, *broad*
brak, *broke*
branks, *bridle*
brattle, *clattering noise*
braw, *handsome*
brecham, *horse-collar*
bree, *brow*
breeks, *trousers*
breith, *breath*
brent-new, *brand-new*
bress, *brass*
bricht, *bright*
briest, *breast*
brig, *bridge*
brither, *brother*
broachie, *brooch*
brocht, *brought*
brogue, *trick*
broozled, *worn*
bruckle, brukil } *frail*
brunt, *burned*
buchts, *sheep- or cattle-folds*
bude, *must*
buke, buik, *book*
buk-hid, *hide-and-seek*
bumlin, *humming*
buneheid, *overhead*
bunemost, *topmost*
burd, *maiden*
buskit, *dressed*
but, *into the kitchen; without*
bye, *near*
byke, *wasps' nest*

ca', *call*
cadger, *carrier*
caird, *tinker*
callant, *stripling*
caller, *fresh*
cam, *came*
camow, *flat*
campion, *champion*
can'le, *candle*
canny, *cautious*
cant, *lively*
cantrip, *witch's trick*
canty, *cheerful*
capestane, *copestone*
carle, *old man*
carlie, *little man*
carline, *old woman*
cartes, *cards*
cauldriff, *chilly*
caw, *drive*
chalmer, *chamber*
channerin', *fretting, grumbling*
chiel, *man*
chimley, *chimney*
chitterin', *shivering*
clachan, *hamlet*
claes, *clothes*
claith, *cloth*
claught, *clutched*
clavers, *chatter*
cleads, *clothes*
cleedin, *clothing*
cleekit, *clutched*
cleeks, *clutches, takes arm*
cleidith, *clothing*
cleugh, *narrow glen*
cliftin', *cleft*
clim, *climb*
clips, *shears*
clish-ma-claver, *idle talking*
clokin, *broody*
clorty, *sticky*
closeheid, *entrance of a "close," i.e. passage to common stair of a tenement*
closs, *"close," farm-steading*
clout, *patch*
coft, *bought*
coggie, *wooden bowl*
coo, *cow*
coof, *booby*
coost, *cast*
cootie, *dish*

corbie, *raven*
core, *choir*
coulter, *ploughshare*
cour, *crouch*
couthie, *agreeable, kindly*
cowart, *coward*
cowp (the horn), *sleep*
crackit, *chatted*
craig, *crag*
cranreuch, *hoar-frost*
crap, *crop*
cratur, *creature*
craw, *crow*
creeshie, *greasy*
crined, *shrivelled*
crony, *intimate companion*
croo, *mean*
crouse, *brisk*
crummock, *staff with crooked handle*
crunklin, *crackling*
cuist, *cast*
curch, *coif*
cushies, *wild pigeons*
cutty, *short*
cutty-quean, *light woman*

dacent, *decent*
daffin, *flirting*
daimen, *occasional*
dant, *control*
dapperpy, *diapered*
darg, *task*
daunder, *stroll*
daur, *dare*
daw, *dawn*
dawin, *dawning*
dawtes, *caresses*
dawtit, *favourite*
dead, *death*
deave, *deafen*
dee, *die*
deem, deme, *dame, servant-girl*
deep-lairing, *deep in snow or mud*
deid, *dead*

deil, *devil*
deith, *death*
delvin', *digging*
denner, *dinner*
denty, *dainty*
devallin, *ceasing*
devilich, *imp*
dibble, *plant*
dichtit, *wiped*
dight, *wipe*
din, *dusk*
ding, *knock, noise*
dinsome, *noisy*
dirl, *thrill*
divot, *turf*
doited, *crazy*
donart, *bemused*
doo, dow, *dove*
dool, *sorrow*
doots, *doubts*
dorsour, *curtain*
douce, *sedate*
doun, *down*
dour, *stubborn*
dowf, *dull*
dowg, *dog*
dowie, *dreary*
downa, *cannot*
drap, *drop*
dree, *endure*
dreepin, *dripping*
dreesome, *wearisome*
dregie, *a funeral feast*
dreich, *tedious*
dreid, *dread*
drookit, *drenched*
droun, *drown*
drouthy, *thirsty*
drumly, *muddy*
dubs, *puddles*
duddies, duds, *rags*
dule, *sorrow*
dune, *done*
duniewassals, *gentlemen*
dwawm, *swoon*
dwine, *fade*
dyke, *wall (of stone or turf)*

echty, *eighty*
ee, *eye*
een, *eyes*
e'en, *even*
eerie, *weird*
eild, *age*
eldritch, *unearthly*
emerant, *emerald*
eneuch, *enough*
ettle, *intend*
excamb, *exchange*

fa', *chance to possess ; fall*
fae, *from*
faem, *foam*
fail, *turf*
faimly, *family*
fan, *when*
fand, *found*
fash, *trouble*
Fastern's E'en, *Shrove Tuesday*
fatna, *what*
faught, *struggle*
fauld, *fold*
fau't, *fault*
fause, *false*
fecht, *fight*
feck, *most of, quantity*
feckless, *feeble*
feill, *knowledge*
fended, *contrived*
ferly, *wonder*
fey, *predestined*
fidg'd, *fidgeted*
fient a, *the devil a*
fisslin, *page turning*
fit, *foot*
fitfa, *footfall*
flaffin', *fluttering*
flang, *flung*
flannen, *flannel*
flee, *fly*
fleechin, *cajoling*
fleer, *floor*
fleesh, *fleece*
fleggit, *frightened*
flichter, *waver*
flinders, *splinters*
flooers, *flowers*
fog, *moss*
foggage, *moss, grass*
fone, *foes*
forenent, *over against*
forfare, *perish*
forfochen, forfoughten, *exhausted*
forran, *foreign*
fors, *cares*
fou', *intoxicated*
foucht, *fought*
fouk, *folk*
fouth, *abundance*
fower, *four*
frechure, *coolness*
freid, *peace*
frem't, *strange*
frush, *dry*
fu', *full*
fule, *fool*
furs, *furrows*
fuslin, *whistling*
fustle, *whistle*
fyke, *fidget*
fyle, *defile*

gab, *talk, mouth*
gabbin, *talking*
gae, *go*
ga'e, *gave*
gait, gate, *road*
gaits, *goats*
gamyn, *sport*
gane, *gone*
gang, *go*
gangrel, *tramp*
gansell, *counsel*
gar, *make*
garten'd, *gartered*
gash, *talk, chatter*
gat, *got*
gaun, *going*
gaunt, *yawn*
gausy, *self-important*
gavle, *gable*

geck, *mock*
geill, *jelly*
get, *offspring*
gether, *gather*
gey, *very*
ghaist, *ghost*
gie, *give*
gien, *given*
gin, *if*
girn, *scowl*
gizz, *face, head*
gleg, *quick-witted*
glisk, *new, glimpse*
glower, *stare*
glowmand, *gloomy*
gob, *belly*
gollach, *earwig*
gorcock, *moor-fowl*
goun, *gown*
goupin, *on the look-out*
Gow, *Neil Gow*
gowans, *ox-eye daisies*
gowd(en), *gold(en)*
gowk, *fool, cuckoo*
gowp, *gaze*
graip, *take care*
graith, *harness*
grane, *groan*
gree, *prize*
greet, *weep*
gress, *grass*
grien, *strive*
grottis, *oats*
grue, *shudder*
gude, guid, *good*
gudeman, *husband, tenant of a farm*
guide, *gold*
gullie, *knife*
gurly, *dark and stormy*
guse, *taste*
gustit, *seasoned*

hae, *have*
haffits, *temples*
hafted, *handled*
ha' house, *laird's house*
haill, *whole*
hain, *save*
hairst, *harvest*
hales, *heals*
halesome, *wholesome*
halflins, *halfway*
hame-drauchted, *self-interested*
hansel, *birthday gift*
hantle, *large number*
happit, *wrapped*
harlin, *rough-casting*
harn, *coarse*
harp, *mason's riddle*
harp and carp, *talk and sing*
hartlie, *cordial*
haud, *hold, prevent*
haugh, *river-meadow*
haun, *hand*
hause, *neck*
hawkit, *white-faced (of animals)*
heal, *defence*
hecht, *promised*
heeze, *lift*
heft, *handle*
heid, *head*
heill, *health*
herberie, *harbourage*
herreit, *harried*
he'rt, *heart*
het, *hot*
hething, *scorn*
heugh, *hole*
heute, *caught hold of*
hie, *high*
hinmaist, *hindmost*
hint, *caught*
hirplin, *limping*
hoastin, *coughing*
hog, *sheep*
hoggie, *a young sheep*
hornin, *order to a debtor to pay his debts*
hose, *horses*
hostit, *coughed*
hotch'd, *fidgeted*
hough, *thigh*
houlet, howlet, *owl*

houm, *holm*
howe, *hollow*
howff, *tavern*
howk, *dig*
hunder, *hundred*
hurchonis, *hedgehog*
hurdies, *hips*
hurklit, *squatted*
hynt, *took*

i', *in*
icker, *ear of corn*
ilk, ilka, *each*
ingle, *fireside*
ither, *other*

jag, *prick*
jaud, *jade*
jaup, *splashes*
jaw, *splash*
jimp, *slender*
jouk(it), *duck(ed)*, *escape from*
joup, *skirt*
jow, *toll*

kail, *colewort*, *broth*
kailworm, *caterpillar*
kame, *comb*
keeking-glass, *looking-glass*
keekit, *peeped*
keep't, *kept*
ken, *know*
kent, *knew*
kep, *catch*
ket, *coat*
kid, *tick*
kink, *violent cough*
kintry, *country*
kirk, *church*
kirn, *churn*
kist, *coffer*, *coffin*
knap, *break*
knicht, *knight*
knir, *decrepit old woman* (literally a knot of wood)
knowe, *knoll*
kurtch, *curch*

kye, *cattle*
kyte, *belly*
kyth't, *seemed*, *shown*

lade, *load*
laid the plowis, *taken all*
laigh, *low*
laird, *landlord*
lairn, *learn*
laith, *loath*
Lallan, *Lowland*
lampin, *striding*
lampis, *gallop*
lane(ly), *lone(ly)*
langsyne, *long ago*
lap, *leaped*
lap-buird, *lap-board*
larick, *larch*
lauchin, *laughing*
lauchter, *laughter*
lave, *rest*
lawing, *tavern-score*
le, *law*
leal, *faithful*, *loyal*
lear, *learning*
leaute, *loyalty*
leelang, *livelong*
leeve, *live*
leeze-me-on, *expression of affection for*
leglen, *milk-pail*
leif richt nocht, *leave nothing*
leme, *gleam*
let, *hinder*
leugh, *laughed*
leukin, *looking*
lever, *rather*
licht(nin), *light(ning)*
lift, *sky*
limmer, *hussy*
linkin, *tripping*
linn, *waterfall*
lintie, *linnet*
lippens, *trusts to*
lipper, *leper*
loaning, *lane*
loe, *love*

loof, *hand*
loon, *fellow*
loot, *let*
lootit, *bent, bowed*
loupin, *leaping*
louted, *bowed*
lowe, *flame*
lown, *sheltered, calm*
lowse, *loosen*
lugeit, *lodged*
luggie, *wooden dish, with handle*
luikin, *looking*
lyart, *grizzled*
lythe, *shelter*

mae, *more*
maill, *to rent*
mair, *more*
maist, *most*
maister, *master (schoolmaster)*
mak, *make*
man, *bread*
mane, *moan*
marrow, *partner*
maukin, *hare*
maun, *must*
maunna, *must not*
maut, *malt*
mealock, *particle*
mear, *mare*
mebbe, *perhaps (maybe)*
meen, *moon*
meikle, *great*
melder, *a grinding of oats*
mense, *discretion*
merkit, *ran*
Merren, *Marion*
micht(y), *might(y)*
mickle, *great*
mind, *remember*
mingit, *mixed*
minny, *mother*
mirk, *dark*
mither, *mother*
mony, *many*
mools, *earth (mould)*
moss, *bog*

mou', *mouth*
muckle, *great*
muir, *moor*
mune, *moon*
murlain, *fish-basket with narrow mouth*

na, *no, not*
nae, *no, not*
naig, *horse (nag)*
naith, *beneath*
nakit, *naked*
nappy, *ale*
neb, *snout*
neebor, *neighbour*
neist, *next*
neuk, *nook*
nieve, *fist*
nicht, *night*
niffer, *exchange*
nit, *nut*
nocht, *nought*
noddle, *head*
noggs, *pegs (notches)*
nolt, *cattle*
noo, *now*

o', *of*
och, *ah !*
ocht, *aught*
oes, *grand-children*
offuskèd, *darkened*
oo', *wool*
ook, *week*
oor, *our*
oot, *out*
oot-by, *outside*
or, *ere*
ourfret, *embroidered*
ourie, *with hair turned the wrong way*
owre, *over*
oxter, *armpit*

Pace } *Easter Day*
Pess }
paitrick, *partridge*

painch, *paunch*
panged, *crammed*
parochine, *parish*
parraling, *partition*
parritch, *porridge*
pat, *put*
pattle, *plough-staff*
pawkie, *shrewd*
pechin', *panting*
peety, *pity*
peit, *peat*
pennes, *feathers*
perquer, *by heart*
philabeg, *kilt*
pickle, *a small quantity*
pig, *earthenware jug*
pike, *pick*
pirn, *reel*
pit, *put*
pleesure, *pleasure*
plet, *held*
pleugh, *plough*
plewlan', *ploughland*
ploo, *plough*
plou'man, *ploughman*
plunkit, *played truant*
poindin', *distraining*
pouch, *pocket*
pow, *head*
preen, *pin*
prentit, *printed*
prieve, *taste*
pu', *pull*
puir, *poor*
pund, *pound*
puzion, *poison*
pykeris, *pilferers*
pyot, *magpie*

quaiet, quate, *quiet*
quat, *stopped*
quean, queyne, *girl*
quite, *grant*
quo', *quoth*

rade, *rode*
raip, *rope*
rair, *roar*
rantin, *roistering*
rape, *rope*
rash-buss, *clump of rushes*
rashes, *rushes*
rauchan, *plaid*
raw, *row*
rax, *stretch, hand*
reek, *smoke*
reestit, *scorched*
reid, *red*
reistlin, *searching anxiously*
remead, *remedy*
richt (adj.), *right* (adv.), *very*
rig, *furrow*
riggin, *roof-ridge*
rigwoodie, *ill-favoured*
rin, *run*
ripe, *ransack*
rippling-kame, *comb for separating flax-seed from the stem*
rive, *tear, burst*
rock, *distaff*
rokelay, *short cloak*
roup, *sell*
roupy, *hoarse*
ro'an, *rowan*
rowe, *roll*
row-footed, *roughshod*
rowin', *rolling*
rowst, *roar, waken up*
ruggin, *pulling*
rummle, *rumble*
runkled, *wrinkled*

sab(bin'), *sob(bing)*
sae, *so*
sall, *shall*
sarie, *wretched*
sark, *shirt*
saugh, *willow*
saul, *soul*
saut, *salt*
Sawbath, *Sabbath*
scart, *scratch*
scaud, *scald*
scaur, *crag, scare*

scawl, *scold*
scheill, *shelter*
screed, *harangue*
scrimp(ly), *bare(ly)*
scroggie, *bushy*
scroggs, *bushes*
sc(h)ule, *school*
scunner, *disgust*
seep-sabbin', *sound of trickling water*
seggs, *sedges*
sell't, *sold*
shairn, *cow-dung*
shank, *leg*
shathmont, *six inches*
shaw, *show*, *coppice*
sheen, *shoes*
sheuch, *ditch*
shilpit, *puny*
shir(ly), *sure(ly)*
shog, *shake*
shoon, *shoes*
shoos, *to drive away hens, etc.*
sic, *such*
siccan, *such an*
sicht, *sight*
sicker, *sure*
sie, *sieve*
siller, *money* (*silver*)
simmer, *summer*
Sinday, *Sunday*
skail, *disperse*, *clear*
skaith, *damage*
skelfis, *shelves*
skellum, *rascal*
skelp, *slap*
skinkin, *watery*
skirl, *yell*, *cry*
sklent, *slant*
skreich, *shriek*
skrunt, *stunted bush*
slae, *sloe*, *slow*
slap, *gap in a hedge*
slaw, *slow*
slee, *fanciful*
sleekit, *smooth-haired*
slidder, *unstable*
smeddum, *grit*
smoored, *smothered*
smoutie, *smutty*
snaw(y), *snow(y)*
sned, *lop*
snell, *sharp*, *cold*
snood, *fillet for hair*
snoove, *walk steadily ahead*
socht, *wasted*
sodger, *soldier*
sons, *abundance*
sonsie, *plump*
soom, *swim*
sooth, *truth*
sough, *sigh*
souple, *supple*
spairge, *splash*
spait, *flood*
spak, *spoke*
spang, *stride*
spean, *wean*
speer, *ask*
spence, *parlour*, *pantry*
spew, *vomit*
spile, *spoil*
sprattle, *sprawl*
spring, *dance-tune*
spunk, *match*
spunkie, *lively*
spycit, *proud*
stane, *stone*
stappin, *stopping*
stappit, *stopped*
starnie, *star*
staw, *cloy*
stays, *corsets*
steek, *close*
steen, *stone*
steer, *stir*
stert, *start*
stevin, *voice*
stey, *steep*
stibble, *stubble*
stieve, *firm*
stirrah, *stripling*
stoitet, *staggered*
stookit, *stacked*

stoun, *thrill*
stour(y), *dust(y)*
stouth, *robbery*
strang, *strong*
straucht, *straight*
stravaig, *wander aimlessly*
streekit, *stretched*, *streaked*
stryp, *rill*
stude, *stood*
sturt, *trouble*
sudna, *should not*
sune, *soon*
swalled, *swollen*
swankie, *athletic young man*
swat, *sweated*
swats, *small beer*
sweer, *loath*
sweeties, *sweets*
swithe, *go quickly*
syke, *a rill*
syne, *then*

tablin, *gable top*
tack, *lease*
tae, *to*
tae, *toe*
ta'en, tane, *taken*
tailyeis, *pieces*
tak, *take*
tap, *top*
tatties, *potatoes*
taukin', *talking*
tauld, *told*
tawted, *matted*
tent, *take heed*, *mark*
tenty, *careful*
tett, *lock of hair or of wool*
teuchat, *lapwing*
teugh, *tough*
thae, *those*
thairm, *intestines*
theekit, *thatched*
thie, *thigh*
thiggin, *begging*
thimber, *heavy*
thine, *there*
thocht, *thought*
thole, *endure*
thoom, *thumb*
thoums, *stumps*
thowes, *thaws*
thraf, *plenty*
thrang, *working hard*
thrave, *twenty-four sheaves of corn*
thraw, *twist*, *quarrel*
thrawn, *perverse*
threep, *insist*
threid, *thread*
thretty, *thirty*
thrissle, *thistle*
till, *to*
timmers, *timbers* (*slips the*), *dies*
tinkler, *tinker*
tint, *lost*
tippenny, *small beer* (*twopence a pint*)
tips, *rams*
tirlin', *upsetting*
tod, *fox*
to-name, *nickname*
toom, *empty*
toun, *town*, *farm-steading*
tousie, *dishevelled*, *shaggy*
tow, *rope*; *flax ready for spinning*
trauchle, *drudge*
treesures, *treasures*
trig, *neat*
trow, *trust*
tryst, *meeting*; *meeting-place*
tursis, *carries off*
tursis their tyndis, *toss their antlers*
twa, *two*
twine, *separate*
tyauve, *struggle*
tyke, *dog*

unco, *extraordinary*
unfutesair, *not footsore*
unkenn'd, *unknown*
usquebae, *whisky*

vauntie, *boastful*
vera, *very*

vogie, *vain*
vricht, *wright*
vult, *look*

wa', *wall*
wad, *would*
wadded, *wagered*
wae, *sad*, *woe*
waefu', *sorrowful*
waesuck, *alas !*
waith, *hunting*
wale, *choose*, *fountain*
walie, *strong*
wallop, *gallop*
wallowit, *withered*
wame, *stomach*
wan, *won*
wanchancie, *unlucky*
wane, *dwelling*
wan'ert, *wandered*
wanrestfu, *restless*
wap, *wrap*
wark, *work*
wark-lume, *tool*
warst, *worst*
wasche, *parley*
wast, *west*
wat, *wet*
waud (under the), *under durance*
waukrif, *wakeful*
wauld (in), *in keeping*
waulking (o' the fauld), *watching the fold at lambing season*
wean, *child*
weasand, *windpipe*
wecht, *weight*
wede, *vanished*
wee, *small*
weel, *well*
weel-faur'd, *well-favoured*
weers, *wears*
weir, wer, *war*
wesche, *washed*
whan, *when*
whaup, *curlew*
whaur, *where*
wheen, *a number of*
wheesht, *hush !*
wheesl't, *wheezed*
whilk, *which*
whip-the-cat, *travelling tailor*
whist, *hush !*
wicker, *willow*
wi', *with*
wifikie, *little wifekin*
will, *scared*
wilyart, *self-willed*
win', *wind*
windie, *window*
winna, *will not*
winnock-bunker, *window-seat*
wisnt, *was not*
wob, *web*
wordy, *worthy*
wous, *lives*
wow ! *an exclamation*
wrocht, *wrought*
wud, *wood*, *mad*
wynnit, *wandered*
wyte, *blame*

yaird, *yard*, *garden*
yairdie, *little garden*
yammerin', *crying fretfully*
yaud, *mare*
yaul, *nimble*
yearnit, *longed for*
yeid, yude, *went*
yell, *dry*
yerk, *exert*
yestreen, *last night*
yett, *gate*, *yate*
yird, *earth*
yirks, *jerks*
yont, *beyond*
yorlin-yeldoin, *yellow hammer*
yowe, *ewe*
yowl, *howl*